Chères lectrices,

En ce mois d'avril propice aux surprises en tout genre, le programme Azur vous réserve deux très jolis cadeaux.

Tout d'abord, *Amoureux malgré eux* (n° 2485), le premier volet d'une minisérie pleine de charme et de fraîcheur intitulée : « Les sœurs Mayflower ». Dans cette trilogie toute printanière de Carole Mortimer, vous découvrirez l'histoire de trois ravissantes jeunes femmes — Iris, Capucine et Lila — qui s'efforcent coûte que coûte de sauver la propriété du Yorkshire où elles ont grandi, convoitée par un promoteur immobilier. Mais propriétaire des terrains alentour, il n'est pas question de céder. Mais propriétaire, il n'est pas question de céder. question leur envoie ses trois convaincre, les jeunes femmes en de retourner la situation un très beau mariage par la

Ah, le mariage... Il en est aussi question dans *Un mariage impromptu* (n° 2486), la première partie des « Héritiers de Belluna », la nouvelle minisérie signée de la très talentueuse Lucy Gordon. Les héros en sont deux frères, Gino et Rinaldo Farnese — de grands séducteurs qui ne renonceraient pour rien au monde à leur célibat. Jusqu'au jour où ils apprennent que, pour hériter du somptueux domaine de Belluna, il leur faut prendre une épouse ! Un changement radical pour ces play-boys de Toscane, mais qui en vaut la peine, ainsi qu'ils le découvriront une fois qu'ils auront rencontré la femme de leur vie. D'ailleurs, en Italie, vous savez ce que l'on dit ? Ce sont les célibataires les plus endurcis qui font les meilleurs maris !

Excellente lecture et à très bientôt,

La responsable de collection

Les 1er avril et 1er mai

Les héritiers de Belluna

vous donnent rendez-vous
dans la collection Azur.

Pour les héritiers de Belluna, Gino et Rinaldo Farnese,
deux séduisants célibataires, le célibat est un bien
trop précieux pour y renoncer.
Ils ignorent que le testament de leur père va bientôt
les contraindre au mariage…
Sauront-ils relever le défi ?

Ne manquez pas votre prochain rendez-vous le 1er mai :
Un amour sans partage, de Lucy Gordon
(Collection Azur n°2494)

Un mariage impromptu

LUCY GORDON

Un mariage impromptu

COLLECTION AZUR

éditions **Harlequin**

Si vous achetez ce livre privé de tout ou partie de sa couverture, nous vous signalons qu'il est en vente irrégulière. Il est considéré comme « invendu » et l'éditeur comme l'auteur n'ont reçu aucun paiement pour ce livre « détérioré ».

Cet ouvrage a été publié en langue anglaise
sous le titre :
RINALDO'S INHERITED BRIDE

HARLEQUIN®

est une marque déposée du Groupe Harlequin
et Azur ® est une marque déposée d'Harlequin S.A.

Toute représentation ou reproduction, par quelque procédé que ce soit, constituerait une contrefaçon sanctionnée par les articles 425 et suivants du Code pénal.
© 2004, Lucy Gordon. © 2005, Traduction française : Harlequin S.A.
83-85, boulevard Vincent-Auriol, 75013 PARIS — Tél. : 01 42 16 63 63
Service Lectrices — Tél. : 01 45 82 47 47
ISBN 2-280-20390-1 — ISSN 0993-4448

1.

Le regard qui fixait Alex par-dessus la tombe lui glaça le cœur. Jamais elle n'avait vu tant d'amertume et de haine concentrées sur le visage d'un homme. Elle s'attendait à de la rancœur, certes, mais pas à cette hostilité palpable.

Durant le vol Londres-Florence, elle s'était demandé quelle serait la réaction de Rinaldo et Gino Farnese, les deux frères qu'elle avait partiellement dépossédés.

Elle avait la réponse, maintenant. Manifestement, Rinaldo Farnese ne connaissait pas la demi-mesure : il devait aimer ou haïr avec la même conviction, la même violence.

Stupéfaite, elle cligna des yeux, se disant qu'il s'agissait d'une illusion provoquée par l'éclat du soleil italien. La lumière aveuglante accentuait les reliefs dont les contours nets, presque aigus, tranchaient sur les ombres que les creux paraissaient avaler. Les couleurs crues du paysage contrastaient de façon saisissante avec le noir profond des vêtements et elles vibraient d'une intensité étrange, presque inquiétante.

Consciente d'exagérer un peu, elle s'obligea à se ressaisir. Pourtant, il y avait bien une menace dans les yeux pleins de colère de Rinaldo Farnese. Des yeux qui ne la quittaient pas, s'attachaient à elle, l'enveloppaient d'une fureur vengeresse.

Son notaire, Isidoro, lui avait désigné discrètement les deux frères lors de leur arrivée. Une précaution inutile car elle les aurait reconnus à leur ressemblance : tous deux étaient grands, larges d'épaules et possédaient les mêmes traits réguliers et les mêmes prunelles sombres et brillantes.

Il émanait cependant de Gino, le plus jeune, une certaine douceur. Sans doute à cause de ses cheveux bouclés ou de la courbe de sa bouche qui suggérait un tempérament charmeur et insouciant ainsi qu'un bel appétit de vivre.

Il n'y avait, en revanche, nulle douceur chez Rinaldo dont le visage dur semblait taillé dans du granit. Le front haut et dégagé et le nez busqué constituaient les traits dominants de cette physionomie pleine de caractère.

Même de loin, Alex percevait en lui une tension si forte qu'elle paraissait sur le point de le détruire de l'intérieur. Il la maîtrisait à grand-peine, comme l'attestait le pli intransigeant de sa bouche et son menton pointé en avant.

Toute son attitude indiquait qu'il ne cèderait sur rien, ne pardonnerait rien.

Sauf que Alex n'avait rien à se faire pardonner puisqu'elle ne lui avait fait aucun mal.

S'il devait s'en prendre à quelqu'un, ce devrait être à son père qu'on enterrait en ce moment même. C'est lui qui lui avait fait du tort en hypothéquant un tiers de la propriété familiale, décision que ses fils avaient découvert brutalement après sa mort, quelques jours auparavant.

— Vincente Farnese était un homme charmant, lui avait expliqué Isodoro, mais il avait la détestable habitude de fuir les réalités désagréables en espérant un miracle. Depuis des années, Rinaldo s'est efforcé de le soulager des contraintes et des soucis de l'exploitation, alors il ne s'attendait pas à une surprise aussi déplaisante. On ne peut décemment pas lui reprocher d'être contrarié.

En matière d'euphémisme, Isidoro était un maître car l'individu qui faisait face à Alex n'était pas simplement contrarié : il semblait prêt à commettre un meurtre.

— Je n'aurais pas dû venir à l'enterrement de leur père, glissa-t-elle à l'oreille du notaire.

— Sans doute. Ils doivent s'imaginer que vous êtes venue les narguer.

— Je tenais juste à les rencontrer pour leur expliquer que je compte leur donner toutes les chances de racheter l'hypothèque.

— Racheter l'hypothèque ! Mais, vous n'avez rien compris. A leurs yeux, vous les avez spoliés et ils ne vous doivent rien. Leur offrir la possibilité de racheter l'hypothèque est le meilleur moyen d'engager une guerre ouverte. D'ailleurs, si vous voulez mon avis, nous ferions mieux de partir au plus vite.

— Partez si vous le voulez, mais il n'est pas question que je prenne la fuite.

— Vous le regretterez, murmura le notaire d'un air sombre.

— Que voulez-vous qu'ils me fassent ?

Malgré cette assurance apparente, le doute tenaillait Alex. Ce qui semblait si facile une semaine auparavant alors qu'elle déjeunait avec David dans un restaurant londonien lui paraissait beaucoup moins, aujourd'hui.

— Cet héritage va te permettre de financer l'achat de ta part dans le cabinet, avait déclaré celui-ci. Tu vas enfin devenir une associée à part entière.

— Il nous aidera également à financer notre maison quand nous serons mariés.

Pour toute réponse, David avait levé sa coupe de champagne.

David Edwards occupait une place de premier plan dans la vie d'Alex. Agé de quarante ans, beau, brillant et intelligent, il se trouvait à la tête d'un des plus prestigieux cabinets d'experts-comptables de la place de Londres.

Alex y avait été engagée huit ans auparavant, alors qu'elle venait d'obtenir son diplôme avec les félicitations du jury et elle avait toujours su qu'elle deviendrait un jour associée.

En huit ans, la jeune fille timide et gauche qui se sentait plus à l'aise avec les chiffres qu'avec ses semblables s'était métamorphosée en une femme accomplie et sûre d'elle, d'une beauté étourdissante.

Sans qu'il le sache, David lui-même était à l'origine de cette transformation. Débutante, elle avait été séduite dès le premier jour par le brio et l'élégance du fringant expert-comptable et s'était efforcée d'attirer son attention. Après six mois d'efforts, elle l'avait entendu demander un jour à un collègue qui était la pauvre fille si mal fagotée qui occupait le bureau voisin du sien, sans se rendre compte que la « pauvre fille » n'avait rien perdu de l'échange. Mortifiée, et folle de rage, elle avait derechef décidé de modifier radicalement son image.

Malheureusement, deux jours après cet incident, David annonçait ses fiançailles avec la fille de l'associé principal du cabinet.

Oubliant ses ambitions amoureuses, Alex s'était plongée dans le travail à corps perdu. Pendant cinq ans, elle ne s'était permis que de petits flirts sans conséquence. A la fin de cette période, ses excellents résultats avaient assis son autorité au sein du cabinet. L'associé principal venait de prendre sa retraite et David lui avait tout naturellement succédé. Quelques mois après avoir pris les rênes du cabinet, il divorçait. Au grand dam d'Alex, les méchantes langues prétendaient que son beau-père ne lui étant plus d'aucune utilité, David n'avait pas perdu de temps à se débarrasser d'une femme encombrante.

Alex s'était appliquée à sa transformation avec le même sérieux que dans son travail, mais ses atouts naturels l'avaient considérablement aidée. Ses jambes longues et fines lui permettaient de porter des jupes qui les mettaient en valeur et sa taille svelte et élancée d'enfiler les fourreaux les plus étroits. Ses cheveux clairs coupés court laissaient admirer une nuque gracieuse et un cou de cygne à la courbe parfaite. En bref, elle était irrésistible et son esprit était aussi ordonné que son apparence.

David et elle formèrent très vite un couple et tous surent que les deux étoiles du cabinet se marieraient un jour pour le diriger de concert.

Cet héritage inattendu tombait à point nommé pour Alex. Non seulement il faciliterait l'achat de sa charge d'associée, mais il permettrait d'avancer son mariage avec David.

— Tu risques de mettre un certain temps avant de toucher ton héritage, avait fait remarquer David d'un air pensif. Tu n'as pas hérité de la propriété dans son entier, c'est bien ça ?

— Non, juste de la créance que mon oncle Enrico possédait en échange de l'hypothèque. Il l'a transférée à mon nom dans son testament. Si les Farnese ne peuvent pas me rembourser suffisamment vite, je serai en droit de réclamer un tiers de leur exploitation.

— Tu peux également vendre ta créance à quelqu'un d'autre, ce serait plus malin. Que ferais-tu du tiers d'une ferme ?

— Rien, mais cela me gênerait vis-à-vis des Farnese. Je dois leur offrir la possibilité de me rembourser en priorité.

— Dans ce cas, arme-toi de patience. Il serait d'ailleurs plus sage que tu prévoies un long séjour là-bas. Prends tout le temps qu'il te faudra pour régler l'affaire au mieux.

— Merci. Tu es vraiment adorable.

— Tu ne connais pas bien ta famille italienne, je crois ?

— La seule personne dont j'étais proche était Enrico. C'était l'oncle de ma mère et ils s'aimaient beaucoup, tous les deux.

Sans doute parce qu'ils avaient la même nature expansive et émotive.

— Tu ne leur ressembles pas.

— Maman vivait dans un mélodrame permanent. J'avais beau l'adorer, je pense que j'ai cultivé le bon sens et la raison pour compenser ses excès. Il fallait bien que l'une de nous garde la tête froide et les pieds sur terre. Enrico me répétait souvent que je possédais le tempérament anglais de mon père et, dans sa bouche, ce n'était pas un compliment. Papa est mort quand j'avais douze ans, mais je ne l'ai jamais vu s'emporter ou perdre patience.

— Tout comme toi.

— A quoi bon se fatiguer à se mettre en colère ? Quand il y a un problème, il vaut mieux discuter calmement pour se mettre d'accord.

La mine rêveuse, Alex s'était tue un instant pour reprendre presque aussitôt :

— Ma mère disait souvent qu'un jour elle m'emmènerait visiter l'Italie et que je comprendrai enfin ce que c'était que la lumière. Elle m'a même appris l'italien pour que je ne sois pas perdue en visitant mon autre pays d'origine.

— Mais vous n'y êtes jamais allées.

— Elle est tombée malade au moment où nous aurions pu nous y rendre. Quand elle est morte, il y a trois ans, Enrico est le seul membre de sa famille à être venu à son enterrement.

— Tu es son unique héritière ?

— Non. Il a légué des terres et sa maison à des cousins éloignés. C'était un célibataire richissime et un coureur de jupons invétéré, paraît-il. Il vivait à Florence, comme le reste de la famille.

— Quels étaient ses liens avec Vincente Farnese ?

— C'était son meilleur ami. Il y a quelques années, Vincente a emprunté de l'argent à Enrico en hypothéquant une partie de Belluna, sa propriété. La semaine dernière, ils sont partis ensemble pour une folle soirée au cours de laquelle ils ont bu plus que de raison. En rentrant, ils ont eu un accident de voiture qui leur a coûté la vie à tous les deux.

— Les fils de Vincente Farnese ignoraient tout de cette hypothèque ?

— D'après Isidoro, ils ont découvert son existence à la lecture du testament.

— Dans ce cas, fais attention. Ils doivent t'attendre au tournant.

Alex s'était mise à rire.

— Tu n'imagines tout de même pas qu'ils vont chercher à m'assassiner au coin d'une ruelle obscure ! Je vais aller à Florence trouver un arrangement avec les Farnese, et ensuite je rentrerai.

— S'ils ne peuvent pas te rembourser et que tu cèdes ta créance à quelqu'un d'autre, crois-tu qu'ils vont accepter la transaction sans protester ?

— Je suis certaine qu'ils sont capables de se montrer raisonnables. Nous trouverons un terrain d'entente, j'en suis sûre.

— Raisonnable ? fulmina Rinaldo. Notre père a fait un emprunt considérable sur la propriété sans nous en souffler mot et le notaire nous conseille de nous montrer raisonnables ! Je rêve !

Gino soupira.

— Moi aussi, j'ai du mal à accepter la chose. Comment papa a-t-il pu cacher pareille décision aussi longtemps ? Surtout à toi.

La lumière du jour déclinait, annonciatrice du crépuscule. Le cœur lourd, Rinaldo contempla les collines et les champs qui se déployaient à perte de vue, s'efforçant d'y puiser une forme d'apaisement. Il fallait qu'il s'accroche de toutes ses forces à cette terre qu'il travaillait depuis des années de ses propres mains. Il le devait pour ne pas devenir fou.

— Aux yeux de la loi, nous sommes les héritiers directs de papa et les propriétaires de Belluna, reprit Gino. Cette femme ne peut rien changer à cela.

— Détrompe-toi. Si nous ne pouvons pas la rembourser, elle peut nous créer les pires ennuis en réclamant un tiers de Belluna le plus légalement du monde. Papa n'a jamais rien remboursé si bien que maintenant, nous devons la totalité de la somme plus les intérêts.

— J'imagine que l'argent qu'il a emprunté a servi à quelque chose.

— En effet, admit Rinaldo à contrecœur. Cela nous a permis d'acheter des machines neuves, d'engager de la main d'œuvre supplémentaire et d'acheter un excellent engrais qui a considérablement amélioré le rendement de nos récoltes. Le tout a coûté une fortune, mais papa m'avait dit qu'il avait gagné au loto, pas qu'il avait hypothéqué nos terres.

— Et nous l'avons cru jusqu'à la lecture du testament. C'est ça qui fait le plus mal : qu'il nous ait laissé découvrir la chose comme ça. Cela étant, on ne peut pas le lui reprocher. Il ne savait pas qu'il allait mourir si brutalement. Pour en revenir à cette femme, que sais-tu d'elle à part qu'elle est anglaise ?

— D'après le notaire, elle est expert-comptable, a vingt-sept ans, s'appelle Alexandra Dacre et vit à Londres.

Gino fit la grimace.

— Voilà une description ne me dit rien qui vaille.

— A moi non plus. C'est sûrement une de ces Anglaises glaciales et pétries de certitudes. Et si elle est expert-comptable, cela signifie qu'elle ne s'intéresse qu'à l'argent.

Rinaldo s'interrompit puis se redressa, le visage sérieux.

14

— Nous n'avons pas le choix, Gino. Il faut nous débarrasser d'elle.

Gino sursauta, effrayé par la mine menaçante de son frère.

— Tu ne songes tout de même pas à…

Rinaldo eut un sourire aussi cynique que bref qui eut pour effet d'accentuer son air sinistre.

— Rassure-toi, je n'envisage pas de la supprimer, même si l'idée ne manque pas d'attraits. Je projette simplement de nous débarrasser d'elle le plus légalement du monde.

— Le seul moyen est de la rembourser.

— Avec quoi ? Tout notre argent est investi dans la prochaine récolte. Quant à emprunter à la banque, c'est hors de question. Nous sommes déjà à découvert et on ne nous consentirait un prêt qu'à un taux usuraire.

— Le notaire aura peut-être une idée.

— Je me suis fait la même réflexion, figure-toi. Quand je lui ai demandé s'il voyait une solution, la seule proposition qu'il m'ait faite est que l'un d'entre nous épouse cette Anglaise. Il perd la tête.

— Pas du tout ! C'est une idée lumineuse qui résoudra tous nos problèmes.

Un sourire de soulagement éclaira le visage de Gino.

— Je me demande si elle viendra à l'enterrement de papa.

— A mon avis, elle n'osera pas. Maintenant, allons dîner. Teresa doit nous attendre.

Dans la cuisine, ils retrouvèrent la vieille gouvernante en train de mettre le couvert. Elle demeurait inconsolable depuis la mort de son patron et de grosses larmes roulaient sur ses joues.

Rinaldo ne se sentait aucun appétit, mais il se garda de le dire pour ne pas bouleverser davantage la vieille femme. Sans un mot, il lui posa une main sur l'épaule dans un geste de réconfort et la pressa doucement jusqu'à ce que Teresa sèche ses larmes avec le coin de son tablier.

— Voilà qui est mieux. Tu sais bien que papa détestait les têtes d'enterrement.

— Ça, c'est sûr ! Même quand la récolte était mauvaise, il trouvait toujours une raison de rire.

— C'est comme ça qu'il faut se le rappeler.

Teresa contempla la chaise du bout de la table où Vincente s'asseyait toujours.

— Il devrait être là à nous raconter ses histoires idiotes. Tu te souviens à quel point elles étaient stupides ?

— Et ses jeux de mots ! Ce sont les pires que j'aie jamais entendus.

Comme Teresa ravalait un nouveau sanglot, Gino la serra à son tour dans ses bras. Loin d'apaiser le chagrin de la gouvernante, son geste provoqua une nouvelle crise de larmes.

Incapable de supporter ce spectacle, Rinaldo sortit brusquement dans le jardin.

Tout en essuyant ses joues ruisselantes, Teresa murmura :

— Pauvre Rinaldo ! Il a perdu tant de proches qu'à chaque fois, il s'assombrit un peu plus.

Gino hocha la tête d'un air grave. Teresa faisait allusion à Maria, la femme de Rinaldo, et à son fils âgé de quelques mois qui étaient morts tous les deux dix-huit mois après son mariage.

— S'il avait vécu, son fils aurait presque dix ans, aujourd'hui, murmura-t-il. Il aurait sûrement des frères et sœurs et cette maison serait pleine d'enfants à qui j'aurais pu apprendre à faire des bêtises. Au lieu de ça…

Laissant sa phrase en suspens, il désigna la vaste cuisine d'un geste de la main pour signifier que l'immense maison était bien trop vaste pour trois personnes.

— Maintenant, il n'a plus que toi, déclara Teresa.

— Et toi. Et aussi, ce crétin de Brutus. Par moments, j'ai l'impression que ce stupide cabot compte davantage pour lui que nous parce qu'il appartenait à Maria. Il lui reste aussi l'exploitation à laquelle il s'accroche de toutes ses forces faute de mieux. D'ailleurs, j'espère que la *signorina* Dacre a du cran parce qu'elle va en avoir besoin.

Rinaldo revint en compagnie du chien que Gino venait de mentionner. Doté de pattes énormes, le poil hirsute, Brutus arborait un air d'indolence débonnaire qui avait le don d'exaspérer Gino. Avec une indifférence totale pour le regard réprobateur de Teresa, il s'installa sous la table, près de son maître.

Gino attendit la fin du dîner pour déclarer d'un ton léger :

— Il est temps d'aborder les choses sérieuses, Rinaldo. L'un de nous doit épouser cette Anglaise.

— Comme tu ne renonceras jamais à ton papillonnage pour te marier, j'en conclus que c'est à moi que tu penses, bougonna Rinaldo. De toute façon, si cette femme est expert-comptable, elle doit avoir un esprit méthodique et deviendrait folle après cinq minutes passées avec toi.

— Dans ce cas, c'est à toi de te dévouer.

— C'est hors de question.

Le ton comminatoire était rien moins qu'encourageant.

— Maintenant que tu es le chef de famille, cela relève de ton devoir. Hé ! Que veux-tu faire avec cette bouteille de vin ?

— Te renverser le contenu sur ta tête si tu ne te tais pas.

— Mais il faut bien faire quelque chose, enfin ! Nous devons nous creuser les méninges pour trouver une parade. A nous deux, nous sommes capables d'échafauder un plan génial, j'en suis sûr.

Un vague amusement succéda à la contrariété sur le visage de Rinaldo. D'ordinaire, la désinvolture de son frère l'agaçait, mais, cette fois, il lui jeta un coup d'œil où l'indulgence se mêlait à l'ironie.

— Pour une fois, je te laisse carte blanche. A toi de te débrouiller pour lui tourner la tête.

— J'ai une meilleure idée. Jouons à pile ou face pour savoir qui se dévouera.

— Je t'en prie ! Quand deviendras-tu enfin adulte ?

— Je suis sérieux. Laissons le hasard décider pour nous.

— J'accepte de me plier à cette comédie à condition de ne plus en entendre parler ensuite. Dépêchons-nous et finissons-en !

Gino sortit une pièce de sa poche et la lança en criant :

— Face !

— Pile, répliqua son aîné.

En rattrapant la pièce, Gino la plaqua contre le dos de sa main. Son visage s'illumina d'un large sourire.

— Pile. La belle t'appartient, mon cher.

Rinaldo fit une grimace.

— Je pensais que tu utiliserais ta fausse pièce, sinon je n'aurais jamais accepté.

— Comme si je pouvais utiliser ce genre de subterfuge avec mon propre frère !

— Ce ne serait pas la première fois alors ne prends pas cet air angélique. De toute façon, je ne suis pas intéressé. Tu as le champ libre.

Exaspéré par cette conversation, Rinaldo se leva d'un mouvement brusque et quitta la pièce sans autre commentaire.

Gino se coucha peu après. Il était encore jeune et même le chagrin que lui causait la mort de son père ne l'empêchait pas de dormir.

En revanche, Rinaldo ne se rappelait pas ce qu'était une nuit paisible. Quand le silence envahit la maison, il se glissa dehors et se mit à marcher au milieu des collines. La lune enveloppait la terre d'un halo blanc. Loin d'être douce et séduisante, la lumière qu'elle dispensait était presque brutale et éclairait d'un relief agressif le contour des arbres.

Il avait donné sa vie entière à cette terre. C'est là, sur l'herbe grasse et douce qu'il s'était étendu une nuit avec une fille au parfum de fleurs en lui murmurant des mots d'amour, là qu'il l'avait demandée en mariage, là qu'elle s'était offerte à lui avec une fougue généreuse et passionnée, qu'elle lui avait abandonné son corps souple et gracieux pour devenir sienne.

Il ignorait alors que son bonheur serait de si courte durée. Un an et demi après son mariage, il enterrait sa femme, son fils et son cœur avec eux.

Les mains dans les poches et la tête rentrée dans les épaules, Rinaldo avançait vite sans regarder devant lui. Il aurait pu marcher les yeux fermés car il connaissait par cœur chaque centimètre carré de cette terre comme si elle faisait partie intégrante de son corps. Il en connaissait les humeurs, savait qu'elle pouvait se montrer âpre et dure, généreuse aussi quand la moisson était bonne mais souvent à un prix exorbitant.

Jusqu'à aujourd'hui, il avait toujours payé le montant qu'elle exigeait. Pas toujours de bonne grâce, certes, parfois avec de l'inquiétude ou de la colère, mais il s'était toujours acquitté de sa dette. Malheureusement, cette hypothèque changeait tout.

Au fur et à mesure qu'il continuait sa progression, il perdit toute notion du temps. Les images défilaient dans sa tête, souvenirs du passé, paysage intérieur qui le rendait aveugle au paysage nocturne qui l'entourait. Une scène très précise lui revint à la mémoire : celle où Gino encore bébé suffoquait de rire tandis que leur père le lançait en l'air. A la fin, son père s'était tourné vers lui d'un air complice et lui avait dit :

— Tu te souviens quand je faisais la même chose avec toi ? Maintenant, tu es trop grand parce que tu es devenu un homme, comme moi.

— C'est vrai, avait-il répondu avec enthousiasme.

Il avait huit ans, alors et son père avait toujours su trouver les mots pour l'empêcher d'être jaloux de ce petit frère dont l'heureuse nature ressemblait tellement à la sienne.

Son père qui avait toujours cru que le monde était un endroit merveilleux où l'amour et la générosité régnaient en maîtres. Son père qui s'était efforcé de l'en convaincre et de lui communiquer sa confiance et son amour de la vie.

Son père qui avait toujours été son allié quand il faisait une bêtise et qui promettait de ne rien dire à sa mère pour ne pas la contrarier.

A ces images en succéda une autre, imaginaire, mais qui s'imposa comme une évidence. Celle du vieil homme avec son visage rond et sa moustache blanche, riant sous cape de la farce qu'il avait faite à ses fils, surtout à son aîné si sérieux et si responsable.

Vincente n'avait pas eu conscience du danger et rien ne leur avait permis de se préparer à ce nouveau coup du sort. Rinaldo avait beau avoir toujours adoré son père, à cet instant précis, il eut le plus grand mal à ne pas le détester.

Quand la lumière indécise de l'aube succéda à l'obscurité, Rinaldo s'aperçut qu'il se trouvait à des kilomètres de la maison. Il était temps de rebrousser chemin pour se préparer au plus dur combat de son existence.

2.

Au prix d'un gros effort, Rinaldo parvint enfin à détacher son regard de cette femme qu'il considérait comme son pire ennemi. Il nota machinalement qu'elle était belle, mais d'une beauté de citadine sophistiquée qui aurait accru l'aversion viscérale qu'elle lui inspirait si celle-ci n'était pas déjà à son comble. Tout dans son apparence confirmait ce qu'il pressentait : de ses cheveux blonds impeccablement coiffés à sa tenue tirée à quatre épingles, elle incarnait la londonienne impitoyable prête à faire main basse sur une fortune tombée du ciel sans le moindre égard pour ceux à qui elle revenait légitimement.

Plusieurs personnes prirent la parole pour dire quelques mots sur Vincente. Il s'agissait pour la plupart de vieux complices qui ne pouvaient laisser partir leur compagnon sans évoquer leurs joyeuses équipées.

Quelques femmes lui rendirent également hommage, s'essuyant discrètement le coin des yeux sous le regard jaloux de leurs époux.

Vint ensuite le tour de ses fils. Gino s'exprima avec beaucoup d'émotion pour rappeler la gentillesse et la gaieté de son père.

— Il n'a pas toujours eu une vie facile et a beaucoup travaillé pour permettre à sa famille de prospérer. Pourtant, cette vie

21

de labeur ne l'a jamais aigri et jusqu'au bout, rien ne l'amusait plus qu'un calembour, même exécrable.

La voix de Gino s'étrangla sur ces derniers mots. Bouleversé, il jeta un coup d'œil désespéré à son frère pour lui demander de l'aide.

L'expression de Rinaldo demeura figée lorsqu'il succéda à son frère pour déclarer d'un ton presque sec :

— Mon père était un homme qui a su aimer et être aimé en retour, comme l'atteste la présence d'un grand nombre de ses amis aujourd'hui. Il le méritait et je remercie chacun d'entre vous d'être venu lui dire un dernier adieu.

Les mots jaillirent de ses lèvres comme si on les lui arrachait de force et son visage conserva la même immobilité terrifiante.

Quelques minutes plus tard, l'assistance commença à se disperser. Après avoir jeté un dernier coup d'œil glacial à Alex, Rinaldo saisit son frère par le coude pour l'entraîner vers la sortie du cimetière.

— Une minute, dit Gino. Nous devons saluer Mlle Dacre.

— Il n'en est pas question !

— Il faudra bien faire sa connaissance tôt ou tard. Et puis elle est superbe, ce qui ne gâte rien.

— Un peu de décence, Gino ! Je te rappelle que nous venons juste d'enterrer notre père.

— Il réagirait exactement comme moi. Ouvre les yeux, bon sang ! C'est vraiment une beauté.

— Tant mieux pour toi. Voilà qui te facilitera la tâche.

Gino croisa le notaire du regard et lui adressa un petit salut de la tête. Quand Isidoro lui répondit, il se dirigea vers lui sans hésiter.

Cet échange muet n'échappa pas à Alex qui examina de nouveau Gino tandis qu'il approchait. Malgré les circonstances, il émanait de lui une vivacité et un amour de la vie qui se lisaient sur son visage comme dans un livre ouvert.

Pendant qu'Isidoro effectuait les présentations en expliquant le lien qui unissait Alex à Enrico, Gino esquissa un sourire de conspirateur.

— J'ai entendu parler de la *signorina* Dacre.

Alex lui rendit spontanément son sourire.

— J'ai l'impression que tout Florence a entendu parler de moi.

— Toute la Toscane même ! Cette histoire d'hypothèque a fait sensation.

— Je suppose que vous n'en saviez rien.

— Absolument rien jusqu'à ce que le notaire nous en informe.

— Cela a dû vous faire un choc. Je m'étonne que vous acceptiez de me rencontrer étant donné les circonstances.

— Vous n'y êtes pour rien.

Sans plus de cérémonie, Gino prit la main d'Alex dans les siennes et la serra avec chaleur.

— Nous devons parler de la situation. Il faut que nous fixions un rendez-vous le plus vite possible, déclara-t-il.

— En effet.

Après une courte hésitation, Alex ajouta tout à trac :

— J'espère que cela ne vous froisse pas que je sois venue à l'enterrement de votre père. Vous jugez cela peut-être de mauvais goût, mais je… j'ai… enfin, j'ai cru bien faire.

— C'est en effet de très mauvais goût, s'exclama la voix sévère de Rinaldo. Vous n'avez rien à faire ici.

— Rinaldo, je t'en prie ! murmura Gino, gêné.

— Votre frère a raison. Je suis désolée. Je m'en vais tout de suite.

— Surtout pas ! Nous recevons les proches de mon père à l'hôtel Favello. Enrico était le meilleur ami de mon père et vous faites partie de sa famille, alors il est normal que vous veniez.

Gino adressa un coup d'œil à son frère pour lui demander son assentiment. Celui-ci le fusilla du regard puis il haussa les épaules d'un air résigné en marmonnant du bout des lèvres :

— Comme tu voudras.

Là-dessus, il tourna les talons sans plus se préoccuper d'Alex.

— L'hôtel est à deux pas. Je vais vous indiquer le chemin.

— Je sais où il est. C'est là que je suis descendue.

Gino offrit son bras à la jeune femme.

— Dans ce cas, allons-y.

— Je vous remercie, mais je préfère aller de mon côté. Je m'en voudrais de priver les personnes de votre entourage de votre attention.

Sans attendre la réponse, Alex s'éloigna et rejoignit Isidoro qui lui emboîta le pas.

— Puisque vous avez décidé de vous jeter dans la gueule du loup, je vous accompagne.

— Merci, c'est gentil.

Pendant le court trajet à pied qui les séparait de l'hôtel, Alex fit remarquer :

— Vincente Farnese avait vraiment beaucoup d'amis.

— Il était très populaire, mais les gens qui assistaient à la cérémonie ne faisaient pas tous partie de ses proches. Il y avait également les vautours à qui l'hypothèque a mis l'eau à la bouche. Vous représentez pour eux une proie de choix. Méfiez-vous surtout d'un dénommé Montelli. C'est un homme avide et sans scrupules et si Rinaldo vous voit parler avec lui, il risque de voir rouge.

24

— De toute façon la moindre de mes initiatives me vaudra son hostilité, alors j'ai l'intention d'agir sans me préoccuper des humeurs de ce monsieur.

L'hôtel Favello était un ancien palais de la Renaissance qui avait appartenu à la famille dont il avait gardé le nom. Luxueusement rénové, il possédait tout le confort moderne, mais les améliorations étaient si discrètes que rien ne semblait avoir changé depuis des siècles.

Pour éviter de figurer parmi les premiers arrivants, Alex se rendit dans sa chambre et en profita pour se rafraîchir. En ce début de mois de juin, il régnait à Florence une chaleur à laquelle elle n'était pas habituée. Au cimetière, sous le soleil écrasant, elle avait senti vibrer chaque parcelle de son corps.

Après un rapide coup de brosse, elle vérifia son apparence dans une glace et esquissa une moue satisfaite. Rien à redire. De crainte d'en faire trop pour l'enterrement d'un homme que, tout compte fait, elle ne connaissait pas, elle avait renoncé au noir et opté pour une robe bleu marine très sobre qu'ornait une simple broche en or.

A son grand soulagement, il y avait foule dans le salon où s'étaient rassemblés la famille et les amis de Vincente ce qui lui permit de passer relativement inaperçue.

Isidoro qui la guettait la rejoignit aussitôt pour lui désigner plusieurs personnes.

— Les deux couples qui vous regardent d'un mauvais œil sont vos cousins, les autres héritiers d'Enrico.

— Ne me dites pas qu'ils m'en veulent aussi ?

— Bien sûr que si ! Vous les privez d'une part conséquente de leur héritage.

— Me voilà prise entre deux feux. Il ne manquait plus que ça !

— Nous sommes en Italie, n'oubliez pas. Ici, les rancunes et les disputes familiales sont tenaces. Attention, ils s'approchent.

En effet, le quatuor avança vers la jeune femme et le notaire d'un pas décidé. Ils se présentèrent et échangèrent des bonjours qui, sans être ouvertement hostiles, demeuraient néanmoins méfiants. L'homme le plus âgé qui semblait être le meneur évoqua la nécessité d'une rencontre dans des délais assez brefs.

Alex hocha la tête en signe d'acquiescement. Satisfaits, ses cousins s'éloignèrent. Presque aussitôt un homme au sourire cauteleux s'approcha à son tour. Il se présenta sous le nom de Leo Montelli et réclama à Alex un entretien de toute urgence.

Lui succédèrent un propriétaire terrien, un banquier et d'autres représentants d'organismes financiers qui désiraient chacun prendre rendez-vous. Cette succession ininterrompue d'inconnus donna le vertige à Alex. Il était clair que son identité et la raison de sa présence étaient connues de tous.

Pour ajouter à son malaise, elle sentait le regard de Rinaldo Farnese rivé sur elle en permanence. Son expression demeurait indéchiffrable, mais elle aurait mis sa main au feu qu'il tenait un compte précis de ses interlocuteurs.

Après trois-quarts d'heure de ce manège, Alex n'y tint plus.

— Je n'en peux plus, Isidoro ! Ces gens sont d'une indécence révoltante. Ils auraient pu choisir un autre moment pour prendre contact. Je préfère partir plutôt que de subir leurs sourires mielleux une seconde de plus.

— Voulez-vous que je prenne rendez-vous pour vous avec eux ?

— Pas avant que j'aie rencontré les Farnese. Pour l'instant, je vais m'éclipser discrètement.

— Trop tard, murmura le notaire.

En effet, Rinaldo fendait la foule d'un pas décidé et s'arrêta pile devant eux.

— Votre comportement est scandaleux, *signorina* Dacre. J'exige que vous partiez immédiatement.

— Dites donc…

Coupant court à la protestation d'Alex, il enchaîna d'une voix basse mais vibrante de fureur :

— Comment osez-vous vous livrer à vos sordides marchandages alors qu'on vient à peine d'enterrer mon père ? Sortez tout de suite de cette pièce, sinon je me charge personnellement de vous flanquer dehors.

— Cela tombe bien, rétorqua Alex. Je m'apprêtais justement à partir.

— Tiens donc ! Et vous espérez que je vais vous croire ?

Un frémissement de colère parcourut Alex.

— Vous feriez bien. Je supporte assez mal qu'on m'accuse de mentir, monsieur Farnese. Je pousserai même la franchise jusqu'à vous dire que je ne vous apprécie pas plus que vous ne m'appréciez. En d'autres circonstances, je prendrais grand plaisir à vous expliquer sans équivoque ce que je pense de vous, mais je ne veux pas créer d'esclandre un jour comme celui-ci.

Folle de rage, Alex tourna les talons et quitta la pièce sans un regard en arrière. A cet instant, si elle avait pu priver Rinaldo Farnese de la totalité de son héritage, elle n'aurait pas hésité une seconde.

L'hôtel Favello donnait sur la Piazza della Republica, en plein cœur de l'ancienne cité florentine, à deux pas des plus célèbres monuments. Le Palazzo Vecchio, le Duomo dont la silhouette massive dominait l'horizon, le Ponte Vecchio qui enjambait l'Arno, les musées et couvents qu'Alex s'était promis de visiter avant de repartir se trouvaient tous dans la proximité immédiate de l'hôtel.

Résolue à se changer les idées, elle décida de dîner dehors et de chercher un restaurant qui donnait sur la vieille ville illuminée.

Une longue douche froide la remit d'aplomb après cette journée éprouvante. Avec le soir, la température devenait plus supportable, mais elle ne parvenait pas à se défaire de l'impression de suffocation qu'elle avait ressentie tout l'après-midi. Elle choisit une légère robe de soie blanche dans laquelle elle se sentit tout de suite beaucoup plus à l'aise que dans celle qu'elle portait pour l'enterrement.

Juste au moment où elle s'apprêtait à sortir, on frappa à la porte de sa chambre.

Lorsqu'elle ouvrit, quelle ne fut pas sa stupeur de découvrir Rinaldo Farnese. Il avait ôté sa veste de costume et la tenait par-dessus son épaule. Sans cravate, le col de chemise ouvert, les cheveux en bataille et le visage las, il donnait l'impression de s'être débarrassé de son personnage crispé et tendu avec autant de joie qu'elle de sa robe bleue.

— Je ne serai pas long, déclara-t-il en pénétrant d'autorité dans la pièce.

— Je ne vous ai pas invité à entrer, dites-moi !

— Je ne vous ai pas invitée non plus à venir ici, pourtant vous êtes là.

— Je m'apprêtais à aller dîner.

Il haussa les épaules.

— Rassurez-vous, je serai bref.

— Je l'espère.

— En premier lieu, je voudrais vous présenter mes excuses pour mon attitude de tout à l'heure.

28

Stupéfaite, Alex le dévisagea avec incrédulité. La dernière chose à laquelle elle s'attendait de la part de cet homme était des excuses.

— Après votre départ, Isidoro m'a confirmé que vous étiez sur le point de vous en aller parce que vous jugiez la situation indécente. Je vous prie donc de m'excuser d'avoir douté de votre sincérité.

— Je vous remercie d'autant plus que je devine que cela vous écorche de le faire.

— Je n'ai pas la réputation d'arrondir les angles, en effet.

— Tiens donc ! Je ne l'aurais jamais deviné.

— Si vous espérez me déstabiliser en ironisant, n'y comptez pas.

— Là encore, vous ne me surprenez pas. Vous vous moquez bien trop de l'opinion des autres pour vous soucier d'être aimable. La grossièreté a ses avantages, remarquez. Elle simplifie les situations et donne moins de mal que la politesse.

A la façon dont Rinaldo se raidit, elle sut que la pique avait atteint son but, cette fois.

— Je vous rappelle que je suis venue à cette réception sur l'insistance de votre frère, reprit-elle. Je n'aurais jamais accepté si j'avais su que j'aurais droit à ce défilé incessant. Tout compte fait, c'est peut-être moi qui vous dois des excuses pour avoir manqué de clairvoyance.

Nullement dupes de ces propos faussement conciliants, ils se dévisagèrent avec une méfiance accrue.

Pourtant, malgré son agacement, la curiosité d'Alex était éveillée. En comparaison des citadins sophistiqués qu'elle côtoyait à Londres, Rinaldo lui faisait penser à un animal sauvage. La colère qui l'animait était si manifeste qu'elle était presque palpable et elle devinait qu'il se maîtrisait de justesse pour ne pas exploser.

Ses pensées se tournèrent vers David qui n'entreprenait jamais rien sans l'avoir planifié de longue date. Elle ne parvenait pas à l'imaginer perdant le contrôle de lui-même, ce qui n'était pas le cas de Rinaldo Farnese.

Etrangement, loin de l'alarmer, cette analyse l'intrigua davantage encore.

Il se mit arpenter la pièce d'un pas nerveux, signe qu'il étouffait et se sentait plus à l'aise à l'extérieur. La largeur de ses épaules accentuait sa haute taille. Il n'y avait pourtant rien de massif en lui, bien au contraire. Il était mince, athlétique et tendu comme un arc, sans rien de la grâce pleine de charme de son frère.

— Vous avez vu les vautours, déclara-t-il. Ils n'attendent qu'un signe de votre part pour fondre sur vous et sont manifestement persuadés que seul l'argent vous intéresse. J'aimerais savoir s'ils ont raison.

— Le moins qu'on puisse dire, c'est que vous êtes direct.

— Je suis venu ici pour savoir quels sont vos projets. Est-ce assez direct pour vous ?

— Mes projets ne sont pas définis pour le moment. J'attends de voir comment la situation va évoluer.

— Vous vous voyez à la tête d'une exploitation agricole ?

— Pas du tout et je n'ai aucune envie de me transformer en fermière.

— Cela vaut mieux, sinon nous serions deux contre vous.

Alex esquissa un petit sourire.

— Vous n'aimez pas non plus les menaces voilées, j'ai l'impression.

— A quoi bon ? Maintenant, dites-moi comment vous envisagez la suite ?

— Je souhaite examiner la situation avec vous et vous donner la priorité pour racheter l'hypothèque. Je ne suis pas un monstre et je suis consciente qu'il sera sans doute difficile de réunir la somme nécessaire. En tant qu'expert-comptable, je…

— L'argent est la seule chose qui vous intéresse, je sais.

A ces mots, le sang d'Alex ne fit qu'un tour.

— Je vous interdis de me parler comme ça ! Je vous rappelle que je ne suis pas responsable de cette situation.

— Mais vous n'êtes pas indifférente aux bénéfices qu'elle vous rapporte.

— Je ne suis pas indifférente à l'héritage que m'a laissé Enrico parce que c'était sa volonté. Je suppose qu'il a toujours eu l'intention de me laisser de l'argent, mais c'est vous qui avez bénéficié de ses liquidités. Vous vous comportez comme si je n'avais aucun droit de toucher ce qu'il ma légué… Franchement, ce n'est pas ma faute si votre père ne vous a rien dit.

— Taisez-vous ! Je vous interdis de parler de mon père.

— Comme vous voudrez, mais ne me reprochez pas d'avoir créé cette situation.

Au lieu de prendre une nouvelle fois la mouche, Rinaldo garda le silence, comme s'il était surpris par cette réponse véhémente.

— Personne ne met en cause votre droit à accepter cet héritage, déclara-t-il enfin. Je vous conseille toutefois de vous montrer prudente dans la façon de vous y prendre.

— En d'autres termes, vous me recommandez d'agir d'une façon qui vous conviendra à vous.

L'ombre d'un sourire se dessina sur le visage tourmenté de Rinaldo, mais ce fut très fugitif.

— Avant de prendre la moindre décision, il faut que vous preniez en compte la complexité de la situation. Toutes nos économies sont investies jusqu'à la récolte. Lorsque celle-ci sera terminée, nous commencerons à vous rembourser en effectuant des versements réguliers.

— Je ne veux pas de versements. J'ai des projets, figurez-vous.

— S'ils contrecarrent les miens, mieux vaut que vous les laissiez tomber. D'ailleurs, vous pouvez tout aussi bien quitter l'Italie. Votre présence ici ne changera rien à la situation.

— C'est hors de question.

— Je vous conseille de…

— La réponse est non, c'est clair ?

— Vous ne connaissez pas notre pays, déclara Rinaldo avec une douceur inquiétante.

— Raison de plus pour rester. Je suis en partie Italienne et c'est aussi mon pays.

— Vous m'avez mal compris. Je faisais allusion à la Toscane. La région est dangereuse pour les importuns et ses collines qui paraissent si accueillantes de loin ont longtemps servi de refuge à des bandits de toutes sortes qui ne suivaient d'autre loi que la leur.

— Je parie que leurs chefs vous ressemblaient. Ce devait être des despotes qui s'imaginaient qu'il leur suffisait de donner un ordre pour que leur entourage se mette à trembler. Alors, regardez-moi monsieur Farnese et dites-moi si vous me voyez trembler.

— Non, mais vous feriez bien.

— N'essayez pas de m'effrayer, cela ne marchera pas. J'agirai comme bon me semblera quand bon me semblera et si vous n'êtes pas d'accord, tant pis pour vous. Et ne vous plaignez pas : j'applique vos principes à la lettre.

Cette dernière réplique fut lancée un peu au hasard. Alex connaissait trop peu cet homme pour connaître ses manières d'agir, mais son instinct et le peu qu'il lui avait donné à voir lui permettaient de s'en faire une idée assez précise. Il faisait partie de ces tyrans qui ne supportaient pas qu'on se mette en travers de leur chemin et que les scrupules n'étouffaient pas lorsqu'il s'agissait d'atteindre un objectif.

Plus vite il comprendrait qu'il avait trouvé en elle un adversaire à sa mesure, mieux ce serait.

— Dois-je comprendre que vous me considérez comme un brigand, *signorina* ?

— Si cela s'avérait nécessaire, vous n'hésiteriez pas à vous comporter comme eux.

— Reste à savoir si cela sera nécessaire.

— C'est à vous de me le dire. Nous estimons chacun la situation d'un point de vue différent. J'ai besoin de la totalité de la somme assez rapidement. J'ai une opportunité qui ne se présente qu'une fois dans une vie et, pour la saisir, il me faut réunir des fonds importants. Néanmoins, je suis certaine que nous trouverons un arrangement. Si vous ne pouvez pas me dédommager, une banque ou un organisme financier quelconque acceptera sans doute de reprendre l'hypothèque à son compte.

A ces mots, le visage de Rinaldo prit une expression terrifiante.

— Ne mêlez pas d'étrangers à cette histoire ! Si vous croyez que je vais les autoriser à mettre leur nez dans mes affaires, à me donner des ordres…

Laissant sa phrase en suspens, il frappa ses poings l'un contre l'autre.

— Je ne vous autorise pas à me parler sur ce ton, monsieur Farnese. Je ne supporte pas non plus qu'on me bouscule. Si vous espérez m'impressionner par des démonstrations de force, vous vous êtes trompé de personne.

— J'essaie simplement de…

— Je sais ce que vous essayez de faire et j'en ai entendu assez. Maintenant, je sors. Si vous souhaitez reprendre cette

33

discussion, vous n'aurez qu'à prendre un rendez-vous par l'entremise de mon notaire.

— Sûrement pas !

— Je ne vous laisse pas le choix.

Folle furieuse, Alex prit son sac et se dirigea vers la porte.

Vif comme l'éclair, Rinaldo la devança. L'espace d'une fraction de seconde, elle crut qu'il allait lui barrer le chemin ; à sa grande surprise, il lui ouvrit la porte, s'effaça pour la laisser sortir et lui emboîta le pas.

Une fois dans la rue, elle s'élança au hasard sans regarder où elle allait.

— Avec qui avez-vous rendez-vous ? s'enquit Rinaldo.

— De quel droit…

— Répondez !

— Cela ne vous regarde pas.

Il se plaça devant elle, l'obligeant à piler net.

— Si vous allez retrouver Montelli, cela me regarde.

— Si je décide de rencontrer le *signor* Montelli, je le verrai chez mon notaire, tout comme vous. Maintenant, ôtez-vous de mon chemin que je puisse trouver un restaurant.

A la surprise d'Alex, Rinaldo obtempéra sans broncher.

— Je peux vous recommander une excellente trattoria dans la rue voisine, si vous voulez.

— Tenue par un de vos amis qui gardera un œil sur moi et vous rendra compte de mes faits et gestes ? Très peu pour moi, merci.

— Quelle nature soupçonneuse !

— Avec vous, c'est un impératif.

Rinaldo hocha la tête.

— Vous êtes également sensée.

— Assez pour choisir moi-même un restaurant. Si j'allais

dans celui que vous m'indiquez, on verserait certainement de l'arsenic dans mon vin.

— Seulement si vous m'avez légué l'hypothèque dans votre testament.

Ce trait d'humour était la dernière chose à laquelle Alex s'attendait. Malgré elle, elle se mit à rire puis s'obligea à reprendre son sérieux pour ne pas laisser à son adversaire le plaisir de marquer un point.

Au coin de la rue, elle tomba en arrêt devant une myriade d'échoppes illuminées autour desquelles s'agglutinaient touristes et badauds. On y vendait des objets décoratifs, des colifichets de toutes sortes et des articles en cuir.

Un ours en bronze dominait une fontaine ruisselante, la bouche ouverte en un sourire où la férocité se mêlait à la gaieté. Son nez étincelait dans le soleil du crépuscule.

En passant devant lui, deux touristes frottèrent le bout du nez de l'animal.

— Vous comprenez pourquoi il brille, maintenant, dit Rinaldo. Quand on lui frotte le nez, il faut faire un vœu en demandant de revenir à Florence.

— Dans ce cas, je m'abstiendrai. Souhaiter revenir à Florence signifierait que je vais la quitter, or vous vous efforcez avec tant d'ardeur de m'y pousser que je suis plus résolue que jamais à rester.

A sa grande déception, Alex n'eut droit qu'à un coup d'œil exaspéré. Décidée à faire sortir Rinaldo de ses gonds par tous les moyens, elle renchérit :

— Et puis, si je reste, je n'aurai pas besoin de revenir.

— Si vous cherchez à me provoquer, vous perdez votre temps.

— Très bien. Dans ce cas, je vais remettre ma décision jusqu'à ce que je trouve ce qui vous ennuie le plus.

Enchantée de sa repartie, Alex voulut s'éloigner mais Rinaldo la retint par le bras. Les doigts d'acier qui l'enserraient lui interdisaient toute possibilité de fuite. Et le regard qui la fixait était dur comme de la pierre.

— Ce petit jeu vous amuse peut-être, mais ce n'est pas mon cas, figurez-vous. Belluna représente toute ma vie alors ne vous moquez pas de moi sinon vous le regretterez. Vous voilà prévenue. Bonne soirée, conclut-il d'un ton bref avant de s'évanouir dans la foule.

Il n'eut pas plus tôt disparu qu'une dizaine de répliques cinglantes vinrent à l'esprit d'Alex. Malheureusement, elle n'avait plus d'auditoire et il ne lui restait plus que l'empreinte des doigts de cet homme odieux sur le bras.

En quittant la place, elle entra dans le premier restaurant venu et ne regretta pas son choix. Elle connaissait les meilleures tables de Londres et de New York, mais celle-ci les surpassait de loin.

« Rinaldo Farnese risquait d'être déçu », songea-t-elle avec un petit sourire. Il faisait trop bon vivre à Florence pour qu'elle reparte avant l'heure.

3.

Le lendemain, Alex décida de visiter la ville. Cela valait mieux que de se cloîtrer dans sa chambre en attendant la prochaine initiative de Rinaldo.

Au moment où elle arriva dans le hall de l'hôtel, la silhouette massive de Montelli apparut dans son champ de vision. Lorsqu'il lui demanda un entretien, elle n'eut d'autre choix que d'accepter, mais ce fut à contrecœur qu'elle s'installa avec lui à l'une des tables du bar.

— Je suis venu résoudre vos problèmes, déclara-t-il d'emblée.

L'entrée en matière était si peu subtile que Alex sentit redoubler l'aversion instinctive que cet individu lui inspirait.

— Je ne crois pas que vous soyez au courant des mes problèmes, riposta-t-elle froidement.

— Je suis prêt à payer un prix élevé pour racheter votre hypothèque sur la propriété des Farnese et je suis certain que nous pouvons trouver un terrain d'entente.

— Il est trop tôt pour que j'aborde ce sujet avec vous. Je veux donner la priorité aux frères Farnese.

Il eut un haussement d'épaules méprisant.

— Ils n'ont pas les moyens de vous payer.

— Parce que vous connaissez le montant de l'hypothèque ?

— Ces choses-là finissent toujours par se savoir. J'imagine en outre que vous préférez recevoir votre héritage le plus vite possible.

A ces mots, Alex sentit sa résistance monter de plusieurs crans.

— Je refuse d'en débattre avec vous tant que je ne l'aurai pas fait avec eux.

Résolu à emporter le morceau, Montelli cita une somme dont l'importance stupéfia la jeune femme. Il lui offrait beaucoup plus que le montant de l'hypothèque. En expert-comptable avisée, elle reconnut immédiatement une bonne affaire, mais sa conscience lui ordonna d'étouffer la petite voix qui lui conseillait de conclure le marché immédiatement.

— Je vous répète que je veux d'abord proposer le marché aux Farnese.

Montelli plissa les yeux.

— Vous avez tort, *signorina*. Je ne suis pas un homme patient.

— Tant pis. Je prends le risque. Maintenant, vous m'excuserez, mais j'ai un programme chargé.

Lorsqu'elle se leva, Montelli lui agrippa le poignet pour l'empêcher de partir.

— Nous n'avons pas terminé notre conversation.

— Si. Et si vous ne me lâchez pas immédiatement, je vous gifle.

— Vous feriez mieux d'obéir sinon je me chargerai avec joie de remplacer la *signorina* Dacre, déclara une voix masculine avec autorité.

Ni l'un ni l'autre n'avaient vu Gino Farnese approcher. Furieux, Montelli retira sa main.

Gino se tourna vers Alex en souriant.

— Si vous voulez, je peux quand même lui mettre mon poing dans la figure.

— Sûrement pas ! Si quelqu'un doit le faire, c'est moi. Je ne veux pas me priver de ce plaisir.

Le sourire de Gino s'élargit puis s'effaça quand il dévisagea Montelli.

— Fichez le camp !

Une métamorphose surprenante s'était opérée sur le visage de Gino. D'affable il s'était brusquement assombri pour devenir inflexible. Cela ne dura qu'un instant, mais Alex eut l'impression de voir Rinaldo.

Montelli le sentit aussi car il fila sans demander son reste.

— Pour une fois que j'avais la chance de sauver une belle en détresse ! s'exclama Gino. Vous me gâchez mon plaisir. Vous auriez au moins pu faire semblant d'avoir peur pour ménager ma vanité masculine.

— Elle se porte parfaitement bien sans que j'aie besoin de la ménager, répliqua Alex en riant.

— Vous me comprenez trop bien, *signorina*.

Il l'appelait *signorina* d'une façon très différente de celle son frère. Dans sa bouche, le mot résonnait comme une caresse et non comme une accusation.

— Vous sortez ?

— J'ai prévu de faire un peu de tourisme. C'est la première fois que je viens à Florence.

— Si vous voulez je peux vous servir de guide.

— Cela ne vous ennuie pas ?

— Pas le moins du monde.

— Dans ce cas, j'accepte, mais à condition que vous me permettiez de vous offrir un café avant de nous lancer. Comme ça, nous pourrons discuter de notre programme.

Quelques minutes plus tard, ils s'installèrent à la terrasse d'un café juste en face de l'ours en bronze. Alex s'attendait que Gino lui explique la coutume consistant à lui frotter le bout du nez, mais il n'en fit rien.

Elle prit alors conscience que son frère lui avait probablement raconté sa visite de la veille par le menu. Leurs relations étant pour le moins houleuses, Rinaldo avait dépêché Gino ce matin pour qu'il la sonde à son tour et poursuive la tâche qu'il avait entamée. Cette rencontre n'avait donc rien de fortuit, comme elle l'avait cru. Rinaldo avait tout simplement mandaté son cadet dans l'espoir que le charme serait plus efficace que l'affrontement.

Forte de cette analyse, elle décida de se tenir sur ses gardes.

Gino lui saisit le poignet pour l'examiner.

— J'espère que Montelli ne vous a pas fait mal.

Alex ne se rappelait pas davantage la poigne de Montelli qu'elle ne sentait les doigts de Gino. Etrangement, c'est du contact de la main de Rinaldo qu'elle se souvenait alors que cela remontait à la veille.

Elle revit son expression tendue, farouche, presque sauvage, comme s'il était prêt à n'importe quelles folies pour préserver son bien de la menace qui pesait sur lui.

— Je n'ai rien senti, rassurez-vous.

Gino la retint un peu plus que nécessaire avant de la libérer.

Ils convinrent de commencer la visite par la galerie des Offices. Alex fut éblouie par la richesse des collections. Au bout de deux heures, cependant, sa capacité d'attention commença à s'émousser sérieusement. Il y avait une telle quantité de chefs-d'œuvre qu'elle se sentait submergée, aussi mit-elle un terme à la visite en décidant de revenir un autre jour afin de la poursuivre.

Ils déjeunèrent au bord de l'Arno dans un petit restaurant avec une vue imprenable sur le Ponte Vecchio.

40

— Je ne me lasse pas d'admirer ce pont, dit Alex. Il donne l'impression qu'il va s'effondrer à tout instant avec ces bâtiments qui s'y entassent et, pourtant, il tient depuis des siècles. C'est un vrai miracle.

— Tout Florence est un miracle. L'Italie possède soixante pour cent des grandes œuvres d'art mondiales et la moitié se trouve à Florence. Pendant les derniers siècles…

Fascinée, Alex n'écouta que d'une oreille. En quel autre pays du monde un propriétaire agricole se mettrait-il à disserter sur les richesses artistiques de sa région ?

Mais Florence était le berceau de la Renaissance, une ville unique en son genre qui avait vu naître des hommes aux multiples talents.

Gino remarqua qu'Alex ne suivait plus ses explications.

— Je vous ennuie.

— Loin de là. Je me disais que l'esprit de la Renaissance s'était transmis de génération en génération.

— Et nous en sommes fiers. Rinaldo ne partage pas cette opinion, mais il ne s'intéresse qu'à la terre, de toute façon. A mon sens, tout florentin qui se respecte doit avoir une âme d'artiste même s'il se salit les mains en travaillant.

Alex ne put s'empêcher de sourire, songeant que Gino ne devait pas souvent se salir les mains. A l'inverse de Rinaldo qui semblait lié physiquement à cette terre, comme s'il faisait corps avec elle.

— J'avais pensé vous emmener au Duomo après le déjeuner.

— Je préfère attendre. La cathédrale et le baptistère juste après les Offices, cela fait un peu trop pour une seule journée. Je risque de saturer.

— Dans ce cas, il nous faut trouver une occupation moins vertueuse mais plus distrayante.

Le sourire enjôleur qui accompagna cette réponse éveilla aussitôt la méfiance d'Alex qui demanda d'un ton taquin :

— A quoi pensez-vous ?

— A une promenade à cheval. Je vous surprends ?

— Pas le moins du monde, répliqua-t-elle en riant. J'adore monter à cheval.

Mais lorsque le regard de Gino croisa le sien, il confirma l'intuition de la jeune femme. Il songeait bel et bien à l'embrasser !

Comme Alex n'avait rien emporté pour monter à cheval, elle effectua quelques achats indispensables. Pendant qu'elle les réglait, Gino alla chercher sa voiture et, quelques minutes plus tard, ils quittèrent Florence et se dirigèrent vers les collines au nord de la ville.

Peu après, ils s'arrêtèrent dans un club équestre où Gino réserva deux chevaux. Une fois en selle, tous deux s'élancèrent dans la campagne baignée de soleil.

Deux heures plus tard, ils s'arrêtèrent dans une auberge de village qui donnait sur un jardin ombragé où ils dégustèrent du pain frais accompagné de fromage.

— Cela fait une éternité que je n'ai pas monté alors je suis un peu rouillée, déclara Alex. Mais, c'est merveilleux.

En effet, pour la première fois depuis longtemps, elle éprouvait une sensation de liberté et d'insouciance revigorante. Ce paysage lui était étranger et pourtant, il lui procurait un sentiment de bien-être absolu.

David ne se sentirait pas à l'aise, ici. Il préférait monter ses propres pur-sang qu'il entretenait à grand frais dans sa propriété des Cotswolds.

Elle s'aperçut brusquement qu'elle ne lui avait pas parlé depuis son arrivée. Elle lui avait téléphoné, mais était tombée sur son répondeur et avait laissé un message.

Un peu gênée, elle s'excusa auprès de Gino et sortit son téléphone portable pour appeler David. Il y avait un message de sa part disant qu'il l'avait rappelée sans pouvoir la joindre. Lorsqu'elle composa son numéro, elle tomba de nouveau sur le répondeur et éteignit le combiné avec agacement. En le rangeant dans sa poche, elle surprit le regard de Gino rivé sur elle avec attention.

— Il s'agit de votre compagnon ?

Etonnée par cette question indiscrète, Alex haussa les sourcils.

— Je vous demande pardon ?

— Je sais que je manque de tact, mais il est important pour moi de le savoir.

— Vous craignez que je n'amène du renfort ?

— Non, ce n'est pas ce qui m'inquiète.

La lueur ensorceleuse qui brillait dans les yeux de Gino laissait entendre qu'il préférerait avoir le champ libre sur le terrain amoureux. Mais il en fut pour ses frais car Alex observa un silence prudent.

— Vous me faites penser à Rinaldo, déclara-t-il. Lui aussi joue sans dévoiler ses cartes.

— Ne me dites pas que je lui ressemble, par pitié ! C'est un grossier personnage doublé d'un despote.

— Quel portrait, dites-moi ! Il vous a exaspéré encore plus que je ne le pensais.

— Vous êtes bien renseigné, dites-moi. Que vous a-t-il raconté d'autre sur notre entrevue ?

— Pas grand-chose. Pas tout, en tout cas.

— Eh bien, dites-lui que moi aussi je peux me comporter en despote.

— Vous vous en êtes fort bien chargée vous-même.

Alex éclata de rire.

— Certes !

— Vous avez du répondant et Rinaldo déteste ça, surtout quand il en fait les frais.

— Peu importe. Cette affaire sera bientôt réglée, de toute façon.

— Si vous tenez absolument à avoir votre argent, je ne vois pas comment.

— A vous entendre, j'ai l'impression d'être un rapace.

— Je n'aurais pas passé la journée avec vous si c'était mon opinion. En revanche, si nous ne pouvons pas réunir la somme, d'autres y arriveront et pas seulement Montelli. A part cette limace, qui a pris contact avec vous ?

Alex lui décocha un sourire malicieux.

— Si vous croyez que je vais répondre à ce genre de question, votre frère et vous me prenez vraiment pour une idiote. Dites donc à Rinaldo que vous avez perdu votre temps au lieu de vous échiner à m'arracher des informations que vous n'obtiendrez pas.

Une petite flamme pleine d'humour s'alluma dans les yeux de Gino.

— La journée n'est pas terminée, je vous signale. Et cette histoire d'hypothèque me paraît de moins en moins importante. Il y a beaucoup d'autres choses qui m'intéressent à votre sujet.

Pour toute réponse, Alex se contenta d'un sourire énigmatique.

Après avoir quitté l'auberge, ils regagnèrent tranquillement les écuries dans le soleil couchant. Pendant le trajet jusqu'à Florence, Gino se montra peu loquace, mais en déposant Alex devant l'hôtel, il demanda :

— Voulez-vous dîner avec moi, ce soir ?

— Pour vous assurer que personne d'autre ne le fait ?

Il secoua la tête en souriant.

— Non, pas pour cette raison.

44

Alex n'hésita qu'un instant. La perspective d'une soirée en compagnie de Gino lui semblait plus attirante que la solitude. Si elle était dupe de son numéro de charme, la situation serait différente, mais ce n'était pas le cas : son cœur ne craignait rien et elle pourrait profiter de l'occasion pour glaner des informations utiles.

— C'est d'accord.

Ils convinrent de se retrouver à 8 heures. Avant de rentrer à l'hôtel, Alex flâna dans les boutiques et acheta sur un coup de tête une époustouflante robe de soie dont le corsage, très pudique, contrastait avec le décolleté vertigineux qui dévoilait entièrement le dos.

En la voyant apparaître dans cette tenue, Gino ne chercha pas à déguiser son admiration.

— C'est un honneur d'être votre cavalier, *signorina*.

Contre toute attente, Alex partit d'un grand éclat de rire.

— Qu'y a-t-il ? demanda Gino un peu déconfit.

— Pardonnez-moi, mais je n'arrive pas à garder mon sérieux quand vous m'appelez *signorina*. Appelez-moi donc Alex, tout simplement et souvenez-vous que vous êtes beaucoup plus séduisant quand vous n'en faites pas trop.

— Dois-je comprendre que vous me trouvez parfois séduisant ?

Peu désireuse de se laisser entraîner sur cette pente, Alex reprit son sérieux.

— Avez-vous l'intention de m'emmener dîner ou comptez-vous passer la soirée à badiner sur des points de détail ?

— J'ai réservé dans un restaurant qui se trouve sur l'autre rive de l'Arno. Vous pouvez marcher avec ces hauts talons ?

— Bien sûr. C'est une simple question d'équilibre or je suis très douée pour les exercices d'équilibriste.

En traversant le Ponte Vecchio. Alex ne put s'empêcher de s'arrêter devant plusieurs boutiques d'orfèvres pour admirer la profusion d'articles qu'ils proposaient.

Comme au déjeuner, ils dînèrent au bord du fleuve. Au fur et à mesure que le crépuscule avançait, les lumières qui s'allumaient peu à peu se reflétaient sur la surface de l'eau, créant une atmosphère envoûtante.

Gino fut un compagnon délicieux et entoura Alex de mille attentions tout en lui racontant des anecdotes comiques.

Lorsqu'on apporta le *bistecca al la Fiorentina* qu'Alex avait commandé, il expliqua que la recette existait depuis le XVIe siècle.

— D'après la légende, les magistrats du Palazzo Vecchio le cuisinaient eux-mêmes pour éviter de rentrer déjeuner chez eux si la journée était chargée.

— Je parie que vous venez d'inventer cette histoire de toutes pièces.

— Je vous jure que non ! J'ignore si c'est vrai, mais c'est ce que prétend la légende, en tout cas.

— Or une bonne légende peut avoir autant d'impact que la vérité.

— Et même davantage, parce que la légende raconte ce qu'on a envie de croire.

Alex eut un petit rire.

— Voilà une observation qui s'applique à merveille à votre frère qui préfère me considérer comme une abominable sorcière et non comme une femme ordinaire.

Gino lui adressa un regard aigu.

— Vous faites ça tout le temps.

— Quoi donc ?

— Ramener la conversation sur Rinaldo. Vous êtes persuadée qu'il tire toutes les ficelles et se sert de moi comme d'une marionnette. Par moments, j'ai même la désagréable

46

impression d'être transparent et que c'est lui que vous voyez à travers moi.

— Je suis désolée, mais votre frère est un manipulateur qui cherche à imposer sa volonté à tout le monde, vous comme les autres.

— Assez parlé de mon frère ! Buvons plutôt une coupe de champagne pour terminer dignement cette soirée.

La pertinence de l'analyse de Gino avait ébranlé Alex. Il avait raison. Même quand elle plaisantait ou riait avec lui, la présence de Rinaldo s'interposait entre eux, invisible et envahissante.

Lorsque le champagne arriva, Gino se lança dans le récit de ses souvenirs d'enfance.

— Je n'oublierai jamais le jour où mon père m'a amené au carnaval de Florence pour la première fois. Nous avons fait les fous pendant des heures. D'après ma mère, c'était un vrai gamin.

— Quel âge aviez-vous quand elle est morte ?

— Huit ans.

— Votre père ne s'est jamais remarié ?

— Non. Il a juré qu'il ne se remarierait jamais et il a tenu sa promesse jusqu'à sa mort.

— J'ai l'impression que c'était un homme heureux de vivre.

— C'est peu dire. Rinaldo lui reprochait de toujours plaisanter quand il aurait fallu être sérieux. Mon père lui conseillait invariablement de se dérider en expliquant que le monde n'était pas un enfer.

Alex esquissa un sourire malicieux.

— C'est vous qui ramenez la conversation sur Rinaldo, maintenant.

— Il est difficile de faire autrement.

— Que répondait-il quand votre père le taquinait ?

— Rien. Sa mine s'assombrissait un peu plus et il se rappe-lait brusquement qu'il avait à faire ailleurs. De toute façon, rien ne l'intéresse en dehors du travail.

— Il faut bien que quelqu'un le fasse.

— J'apporte ma contribution, je vous signale. Simplement, comme mon père, je crois qu'il est sain de s'amuser aussi.

— Rinaldo a toujours eu ce caractère ombrageux ?

— Il a toujours eu un tempérament sérieux, mais cela s'est aggravé après la mort de sa femme.

— Sa femme ?

— Maria. Elle était originaire de Fiesole, juste à côté d'ici. Ils sont tombés amoureux très jeunes. Ils se sont fiancés à quinze ans et mariés à vingt.

La curiosité d'Alex fut éveillée, même si elle eut le plus grand mal à imaginer Rinaldo transi d'amour.

— Comment était-elle ?

— Très ronde, très maternelle. Vous la trouveriez démodée parce que sa seule ambition était de prendre soin de nous. Comme ma mère était morte, c'était appréciable d'avoir une présence féminine à la maison.

— Ne me dites pas que Rinaldo l'a épousée pour qu'il y ait une maîtresse de maison chez vous.

— Mais non ! Il était fou d'elle. C'est mon père et moi qui avions besoin d'être maternés. J'avais dix ans, à l'époque et Maria était une cuisinière fabuleuse — c'est important pour un gamin de cet âge. Rinaldo et elle semblaient très heureux. Il avait l'habitude d'approcher derrière elle sans un bruit quand elle s'activait devant ses fourneaux, de lui passer un bras autour de la taille et de l'embrasser dans le cou. Son mariage l'avait métamorphosé.

— Que s'est-il passé ?

— Maria est tombée enceinte, mais elle a accouché à sept mois de grossesse. Ni le bébé ni elle n'ont survécu.

48

— Cela fait longtemps ?

— Quinze ans. Ils étaient mariés depuis moins de deux ans.

— C'est terrible de voir sa femme mourir si jeune...

— Il ne l'a pas vue, justement, et c'est bien pire. Personne ne s'attendait que le bébé naisse prématurément ; Rinaldo était parti dans le Nord pour acheter du matériel. Mon père l'a prévenu dès que le travail a commencé et Rinaldo est rentré aussi vite que possible, mais il était trop tard quand il est arrivé. Je n'oublierai jamais son visage quand il a surgi à l'hôpital. Il avait conduit toute la nuit et ressemblait à un fou avec ses yeux exorbités et son air hagard. Quand le médecin lui a annoncé la mort de Maria, il n'a pas voulu le croire. Il s'est rué dans la chambre et l'a prise dans ses bras en sanglotant comme un gamin. Le bébé vivait encore, cependant on avait perdu tout espoir le concernant. On l'a baptisé in extremis et il a cessé de vivre une demi-heure plus tard. Rinaldo s'était calmé, alors, mais c'était pire qu'avant. Il était hébété et nous fixait d'un regard vide. Le jour de l'enterrement, il était dans le même état de prostration, comme s'il ne comprenait pas ce qui se passait.

Gino poussa un long soupir puis il reprit :

— Depuis, il n'évoque jamais ni Maria ni son fils et si je fais la moindre allusion à eux, il change immédiatement de sujet. Je ne sais pas ce qu'il ressent. Sans doute rien. Par moments, je me dis qu'il a tué tout sentiment chez lui.

— C'est impossible.

— Je n'en suis pas si sûr. Il a tiré un trait sur sa vie affective et sentimentale une fois pour toutes.

— Pourtant ce genre de drame n'arrive pas deux fois dans une vie.

— Sans doute, mais il a manifestement décidé qu'il ne courrait pas le risque de souffrir une deuxième fois. Depuis

49

la mort de Maria, Belluna est devenu sa seule raison de vivre. D'ailleurs, mon père a fini par lui laisser carte blanche pour diriger l'exploitation.

— Et vous ?

Le sourire juvénile réapparut sur le visage de Gino.

— Théoriquement, j'ai les mêmes prérogatives que mon frère, mais Rinaldo a l'art de vous faire sentir qui est le patron. Le fait qu'il soit plus âgé joue en sa faveur, bien sûr.

L'esprit ailleurs, Alex esquissa un sourire machinal. A l'image caricaturale qu'elle avait de Rinaldo s'en superposait une autre qui brouillait les pistes et offrait de cet homme une vision moins tranchée et infiniment plus complexe. Elle l'imagina à peine entré dans l'âge adulte, anéanti par le chagrin à la mort de sa femme et de son fils, vieillissant d'un seul coup, se durcissant pour ne pas sombrer complètement dans le désespoir.

Troublée, elle se passa la main sur les yeux pour chasser cette vision dérangeante.

— Ça ne va pas ? demanda Gino.

— Si mais je me sens un peu fatiguée. Je ne suis pas habituée à une telle chaleur.

— Je vous raccompagne à l'hôtel.

Sur le chemin du retour, la brise nocturne qui montait du fleuve parut délicieusement fraîche à Alex. A son grand soulagement, son compagnon semblait lui aussi d'humeur pensive et s'abstint de parler.

En arrivant à l'hôtel, il lui prit la main en déclarant :

— Je ne vous demanderai pas de vous revoir demain sinon vous risquez de croire que j'agis sur l'ordre de Rinaldo ; j'espère cependant que vous me permettrez de vous téléphoner.

— Si vous voulez, mais pas demain.

— D'accord. Merci.

Satisfait de cette réponse, Gino lui déposa un baiser léger sur la joue puis s'éloigna.

Gino se glissa dans la maison sans un bruit, pourtant cette précaution fut inutile, comme il le craignait.

— Bonsoir, dit Rinaldo sans lever le nez de l'ordinateur sur lequel il s'occupait de la comptabilité.

— Tu ne dors jamais ? répliqua son frère.

Rinaldo se détourna enfin de l'écran et s'étira pour détendre ses muscles engourdis.

— Tu donnes l'impression d'un chat qui vient d'avaler un pot de crème. J'espère que la crème était bonne, au moins.

— Très drôle !

— Tu n'as pas oublié que tu étais en mission et que tu n'étais pas censé t'amuser mais neutraliser l'ennemi.

— Alex n'est pas notre ennemie. Elle fait même de son mieux pour nous faciliter la vie.

Une expression consternée se peignit sur le visage de Rinaldo.

— Eh bien, tu es sérieusement atteint ! Avant de sombrer tout à fait, rappelle-toi que cette femme n'a pas hésité à négocier avec Montelli alors qu'on venait juste d'enterrer notre père.

— C'est faux ! C'est lui qui s'est imposé à elle. D'ailleurs, il a recommencé aujourd'hui et elle l'a menacé de le gifler s'il récidivait.

— Il est revenu à la charge ?

— Ils étaient dans le bar de l'hôtel quand je suis arrivé et elle l'a chassé comme un malpropre.

— Parce qu'elle t'a vu, bien sûr.

— Quel cynisme ! Je te plains, mon pauvre.

51

— Il faut bien que l'un de nous se montre insolent envers cette femme, puisque tu sembles d'ores et déjà penser que c'est une cause perdue. Qu'a-t-elle donc fait pour t'ensorceler aussi vite ? Il a suffi qu'elle batte des cils pour t'hypnotiser de ses yeux bleus ?

— Ils ne sont pas exactement bleus, murmura Gino d'un air pensif. Plutôt outremer. Un outremer qui tire vers le violet.

— Ah bon ? Ils m'ont paru d'un bleu très ordinaire.

— Tes préjugés te rendent aveugle.

— La méfiance s'impose.

— Sa robe y était sans doute pour quelque chose, remarque, continua Gino. Elle était bleu marine, très élégante et elle soulignait ses hanches et ses…

Furieux, Rinaldo se leva d'un bond.

— J'en ai assez entendu. Tu t'es manifestement ridiculisé.

— Mais j'ai passé une excellente soirée.

Rinaldo leva les yeux au ciel.

— Je t'envoie en mission et tu reviens la bouche en cœur pour m'annoncer que cette femme est un ange envoyé du ciel pour nous aider. Réveille-toi, Gino. A l'heure qu'il est, elle savoure sa victoire. D'ailleurs, elle s'est probablement précipitée sur le téléphone pour appeler Montelli dès que tu as eu le dos tourné.

— Tu es vraiment décidé à penser le pire d'elle, c'est ça ?

— Et j'ai raison !

— Tu ignores tout d'elle ! s'exclama Gino avec colère. Depuis le début, tu as pris fait et cause contre elle.

— Et tu me le reproches ?

— Je te reproche de la condamner sans lui laisser une chance.

Un long soupir échappa à Rinaldo ;

— Comment veux-tu que je fasse autrement alors que notre sort repose entre ses mains ?

— Ne t'inquiète pas. Elle est aussi folle de moi que moi d'elle. Tout finira bien, tu verras.

4.

Alex avait souvent entendu parler de la magie de l'Italie…
sans trop y croire, cependant. Son tempérament pragmatique
l'incitait à se méfier des descriptions trop enthousiastes ou
romantiques. Pourtant, elle dut réviser son jugement car elle
tomba bel et bien sous le charme de Florence. Tout l'eni-
vrait dans la vieille cité : le jeu du soleil sur les pierres, la
lumière exceptionnelle qui rehaussait les couleurs, la beauté
des monuments ou des ruelles, l'exceptionnelle richesse des
trésors artistiques, la gentillesse des gens…

Elle eut beau résister et se répéter qu'elle était là pour récu-
pérer son héritage avant de rentrer à Londres pour épouser
David, cet avenir tout tracé lui semblait de moins en moins
réel. Et, puisque David lui avait suggéré de ne pas se presser,
elle décida de le prendre au mot et d'approfondir ses premières
impressions en visitant la région.

Le lendemain de sa rencontre avec Gino, elle éteignit
son téléphone portable et se rendit à Fiesole au volant d'une
voiture de location.

Après un trajet assez court, elle grimpa une côte escarpée
et atteignit la petite ville. Elle déambula dans les rues pavées
pendant une bonne heure puis s'installa à la terrasse d'un café
qui dominait la plaine. Tout en buvant un *capuccino* à petites
gorgées, elle contempla d'un air rêveur le paysage toscan que

ponctuaient les silhouettes sombres des cyprès qui se dressaient tels de sévères sentinelles.

Une voix masculine la tira brusquement de sa contemplation.

— Vous êtes en bonne compagnie.

Rinaldo se tenait devant elle, comme s'il avait surgi de nulle part. Depuis combien de temps l'observait-il à son insu ?

Devinant qu'elle ne l'y inviterait pas, il s'assit d'autorité en face d'elle. Curieusement, il n'y avait pas trace d'hostilité sur son visage.

— Pourquoi dites-vous que je suis en bonne compagnie ?

— De nombreux écrivains anglais ont admiré cette vue, notamment Shelley et Dickens.

Il désigna une villa en contrebas.

— C'est là que Laurent de Médicis recevait la fine fleur littéraire de la Renaissance. On considère Fiesole comme la mère de Florence et si vous regardez bien autour de vous, vous comprendrez pourquoi.

Distante d'une dizaine de kilomètres, la ville s'étendait sous leurs yeux, resplendissante dans la lumière du soleil à son zénith, le Duomo émergeant d'une forêt de toits de tuiles de toutes les nuances de rose. Du haut de sa colline, la petite cité semblait veiller sur elle d'un œil tendre et protecteur.

— Que faites-vous ici ? s'enquit Rinaldo.

— J'ignorais que je vous devais des comptes. Ai-je besoin de votre permission pour visiter la région ?

— Ne feriez-vous pas mieux de vous occuper de vos tractations au lieu de faire du tourisme ? Vous êtes une femme d'affaires : pourquoi perdre votre temps à rêvasser devant un paysage ?

Alex ne put résister à l'envie de citer quelques vers.

— A quoi bon vivre, si dans notre agitation nous ne prenons pas le temps de nous arrêter pour regarder autour de nous ?

Rinaldo fronça les sourcils.

— Qui a dit ça ?

— Un poète anglais.

— Ah, un Anglais !

— Aussi étrange que cela paraisse, il est arrivé à certains d'entre eux d'écrire de belles choses. Nous ne sommes pas tous de sordides matérialistes obsédés par l'argent, figurez-vous.

Au lieu de répondre, Rinaldo fit signe à un serveur et commanda deux cafés. Une manœuvre pour se donner le temps de réfléchir avant de riposter à cette attaque en règle, devina Alex qui choisit de le devancer.

— Je parie que vous m'avez suivie jusqu'ici parce que vous étiez persuadé que j'avais rendez-vous avec un des acheteurs potentiels de l'hypothèque.

— Il s'agit d'un pur hasard. Je rendais visite à des amis.

Alex se souvint subitement que la femme de Rinaldo était originaire de Fiesole. Peut-être était-il allé voir sa famille, tout simplement. Forte de cette analyse, elle reprit d'un ton radouci :

— Je refuse de négocier avec Montelli ou ses pairs tant que je n'aurais pas eu une discussion sérieuse avec vous. De toute façon, Montelli me déplaît souverainement.

Rinaldo eut un rictus qui pouvait passer pour un sourire.

— Le tout est de savoir si vous le détestez autant que moi.

— Je n'ai pas encore décidé, mais cela ne change rien. En affaires, je m'interdis de faire jouer mes affinités.

— Comme tout expert-comptable qui se respecte ?

— Comme tout être humain civilisé, riposta-t-elle d'un ton sec.

Rinaldo lui concéda ce point d'un petit salut de la tête, mais dès que le serveur eut apporté leurs cafés, il reprit les hostilités.

— Qui considérez-vous comme un être humain civilisé ? Mon frère ?

— Tout charmant qu'il est, votre frère ferait bien de ne pas me prendre pour une imbécile.

— Ce qui signifie ?

— Que vous devriez avoir honte de votre tactique. Vous l'avez dépêché pour jouer les jolis cœurs auprès de moi parce que vous me preniez pour une écervelée prête à succomber au premier battement de cil d'un Italien. Votre frère est délicieux, mais il ne me fait pas tourner la tête et sa compagnie m'a suffi pour une journée. De toute façon, sachez que je ne prends jamais aucune décision sous le coup de l'émotion. Est-ce assez clair pour vous, *signor* Farnese ?

Contre toute attente, Rinaldo éclata de rire, un rire franc, sonore et spontané. Brusquement, il devint terriblement séduisant, infiniment plus que son frère car il avait l'avantage de la maturité.

— Gino m'a raconté les choses d'une façon bien différente. A l'évidence, il s'est trompé du tout au tout.

Dans le bref silence qui suivit, ils se dévisagèrent attentivement puis Alex sourit.

— Si vous espérez que je vais vous interroger sur la teneur de ses propos à mon sujet, vous risquez d'être déçu.

— Cela ne vous intéresse pas ?

— Disons que je préfère réfréner ma curiosité.

Rinaldo inclina de nouveau la tête pour marquer son admiration.

— Je plains ce pauvre Gino. Vous allez lui briser le cœur.

— Aucun risque. Il sait très bien à quoi s'en tenir, à mon avis.

— Ce n'est pas si sûr. Gino dispense son affection facile-ment. Sur ce point, il ne me ressemble pas. A vous non plus, d'ailleurs.

— Comment pouvez-vous dire ça alors que vous ignorez tout de moi ?

— Je sais ce que vous venez de m'avouer, à savoir que vous aimez maîtriser les situations.

— Tout comme vous.

— Tout juste. Nous préférons l'un et l'autre que la tête gouverne le cœur. Je respecte cette attitude, mais elle m'incite à la méfiance à votre égard.

— Vous espériez une petite Anglaise fragile et malléable, c'est ça ?

— Cela ne m'est même pas venu à l'esprit, ne serait-ce que parce qu'il ne faut jamais sous-estimer l'adversaire. Cependant, si vous voulez, nous pouvons débattre de ce point autour du déjeuner.

— Je vous remercie, mais j'ai mangé un sandwich et il est temps que je reparte.

— Dans ce cas, je vous raccompagne à votre voiture.

Lorsqu'il découvrit la berline qu'elle avait louée, Rinaldo fit une grimace explicite.

— Qu'y a-t-il ?

— La société à laquelle vous avez loué cette voiture a très mauvaise réputation.

Comme pour lui donner raison, la voiture demeura muette quand Alex tourna la clé de contact.

— La barbe ! Comment démarre-t-on cette casserole ?

— Vous n'y arriverez jamais. Il faut que vous la laissiez et que vous demandiez à la société de venir la chercher.

Furieuse, Alex descendit de voiture en maugréant et appela la société sur son portable. Bien entendu, celle-ci refusa de prendre la responsabilité de la panne en arguant que la voiture était en parfait état lorsqu'elle l'avait prise et qu'il lui revenait de la ramener.

Le ton monta rapidement.

Rinaldo ne perdit pas une miette de l'échange, au grand agacement d'Alex. Au bout de cinq minutes, il lui prit le combiné des mains avec un soupir exaspéré et lâcha un flot de paroles en italien. Le résultat fut immédiat. Lorsque Alex reprit l'appareil, son interlocuteur fut tout miel, mais elle ne sut si elle était soulagée que l'incident soit résolu ou furieuse d'en être redevable à Rinaldo, d'autant qu'il affichait un sourire goguenard indiquant qu'il comprenait parfaitement son dilemme.

— Merci, dit-elle de mauvaise grâce. Je vous suis très reconnaissante.

— Vous mentez mal. S'il ne tenait qu'à vous, vous m'étrangleriez sur place.

— Je suis trop bien élevée pour le dire.

Au moment où Alex s'apprêtait à éteindre le téléphone, celui-ci sonna de nouveau. Certaine qu'il s'agissait de David, elle se détourna pour répondre.

— Alex ?

— Bonjour, chéri.

— J'ai eu ton message, mais je n'ai pas pu rappeler avant. Comment se passe ton séjour ?

— Plus ou moins bien.

— Les frères Farnese font des difficultés ?

— Aucune dont je ne puisse venir à bout.

— Ne fais aucune concession, surtout. Tu as tous les atouts en main.

— Je le sais, mais la situation n'est pas aussi simple que nous le pensions quand nous en avons parlé à Londres.

— S'ils deviennent déplaisants, n'hésite pas à faire appel à un avocat.

— Merci, mais je me débrouille très bien, je t'assure.

— Cela ne m'étonne pas. Je suis bien placé pour connaître ton efficacité.

Alex masqua sa déception. Ce n'était pas sur son efficacité qu'elle avait envie de s'entendre complimenter, même si David n'était pas homme à s'épancher. C'était d'ailleurs une des raisons pour lesquelles elle l'appréciait, mais, aujourd'hui, elle aurait préféré quelques mots tendres.

— Je m'en sortirai, fais-moi confiance.

— Les pauvres ! Ils vont avoir du fil à retordre. Je commence presque à les plaindre. Surtout, prends le temps qu'il faudra. Tes dossiers sont en bonnes mains, tu peux avoir l'esprit tranquille.

— Il me tarde de te retrouver.

Le rire d'Alex glaça Rinaldo. Le peu qu'il avait saisi sans le vouloir l'inquiétait au plus haut point. Manifestement, il s'agissait de son amant et il faisait pression pour qu'elle touche l'argent au plus vite.

La menace qui pesait sur ce qu'il avait de plus précieux au monde était encore plus grave qu'il ne l'imaginait. L'amour poussait à toutes les folies et l'insistance de cet homme lui semblait de fort mauvais augure.

Sa décision fut prise en une seconde. Aux grand maux les grands remèdes. Quand Alex rangea le combiné dans son sac, il lui dédia un large sourire et lui prit la main.

— Je vous emmène dans ma voiture.

— Mais… je dois attendre la dépanneuse.

— Vous n'avez qu'à laisser les clés sur le contact. Personne ne peut voler la voiture puisqu'elle ne démarre pas. Suivez-moi, il vous reste beaucoup de choses à voir.

Alex freina des quatre fers tandis qu'il l'entraînait de l'autre côté du parking.

— Lâchez-moi !

60

— Il n'en est pas question, alors ne perdez pas votre temps à me le demander.

— C'est un enlèvement pur et simple !

Alex aurait facilement pu appeler à l'aide, mais, sans qu'elle comprenne pourquoi, elle hésita et hésitait encore lorsque Rinaldo atteignit sa voiture.

Le puissant véhicule tout terrain n'était plus dans sa prime jeunesse, mais il était idéal pour les chemins de campagne. La mine boudeuse, Alex s'assit sur le siège passager.

Une fois sortis de Fiesole, ils prirent la direction des hautes collines qui se dessinaient devant eux.

— Vous voulez me montrer Belluna ?

— Une partie. La propriété est trop vaste pour en faire le tour en une seule fois, mais il est temps que vous voyiez ce que vous vous apprêtez à vendre à l'encan.

La voiture partit à l'assaut d'une côte. Florence disparut, le paysage devint plus âpre, plus sauvage, mais les couleurs conservèrent leur contraste. En arrivant au sommet, Alex ordonna subitement à Rinaldo de s'arrêter.

Il obéit aussitôt et la jeune femme descendit de voiture.

— Vous avez raison, s'exclama Rinaldo. La vue est magnifique ici.

Ils dominaient la vallée et les collines environnantes. Le soleil éclaboussait le paysage, les épis mûrs du blé et du seigle ondulaient sous la brise, blonds et chauds et les toits rouges d'un village émergeaient au loin, rutilants sous la lumière crue.

Alex prit une grande inspiration pour emplir ses poumons d'air pur. En bonne citadine, elle considérait Londres comme son territoire de prédilection, mais, à cette minute précise, elle eut l'impression de respirer pour la première fois.

Rinaldo désigna les vignobles.

— Les vignes sont disposées en terrasses, de façon à bénéficier d'un maximum d'ensoleillement. Nous cultivons aussi des céréales et des oliviers. Pour vous, cela ne représente que des bénéfices qui viendront avec la moisson et les vendanges, mais cette terre nous fait vivre. Nous la considérons comme une créature à part entière qui travaille avec nous pour créer une nouvelle vie. Et si, parfois, elle se ligue contre nous, nous lui appartenons autant qu'elle nous appartient.

Alex acquiesça en s'essuyant machinalement le front car le soleil la frappait de plein fouet et elle était en nage.

— Venez, dit Rinaldo.

Il la guida vers un ruisseau bordé d'arbres qui dévalait la colline escarpée.

— J'ai eu tort de m'arrêter à cette heure-là. Vous n'êtes pas habituée à cette chaleur.

— Rassurez-vous, je suis solide.

— On ne dirait pas. Vous êtes si mince qu'on a l'impression que la brise pourrait vous emporter.

— Quelle brise ?

Contre toute attente, ce trait d'humour arracha un sourire à Rinaldo.

— Faites comme moi.

Il s'accroupit et trempa son mouchoir dans le ruisseau avant de le passer sur son visage. Alex l'imita sans beaucoup de succès car son mouchoir était ridiculement petit.

Rinaldo trempa le sien de nouveau et le lui tendit.

— Tenez.

Lorsqu'elle enfouit son visage dans le tissu humide, elle savoura sa fraîcheur bienfaisante et redressa la tête en souriant. Elle se sentait brusquement ragaillardie, pleine d'énergie, débordante de vie. L'âpreté de ce paysage, la violence des couleurs et des contrastes lui insufflaient une excitation grisante. Si grisante, d'ailleurs, que sa raison lui murmura de rentrer en Angleterre, avant que le sortilège qu'exerçait ce pays sur elle ne devienne irréversible.

Sans réfléchir, elle posa la main sur le sol et le palpa doucement.

— Pas comme ça, dit Rinaldo. Plongez vos doigts plus profondément. Laissez-la terre vous parler.

Alex suivit le conseil et comprit immédiatement ce qu'il voulait dire. A cet endroit, la terre était humide et souple à cause de la proximité du ruisseau. Elle était également légère et lourde à la fois et il s'en dégageait une odeur puissante et sensuelle qui lui fit presque tourner la tête.

— On peut faire pousser n'importe quoi dans une terre pareille, murmura-t-elle comme dans un rêve.

En guise de réponse, Rinaldo saisit une poignée de terre qu'il lui présenta au creux de sa paume. Comme Alex l'effleurait timidement, il lui saisit la main pour la presser contre la sienne. Au contact de cette paume puissante qui tenait en son creux cette terre fertile et vivante, elle fut prise d'un étrange vertige.

— Vous comprenez ? murmura-t-il d'une voix rauque. Vous comprenez ce que je veux dire ?

Elle répondit un oui à peine audible.

Une force mystérieuse et primitive semblait avoir pris possession d'elle. D'eux-mêmes, ses doigts s'enfoncèrent un peu plus, comme pour approfondir le contact avec la terre. Elle avait l'impression que le soleil s'était obscurci et pourtant la lumière paraissait plus crue, les contours et les reliefs plus aigus, plus présents.

Son regard se posa sur la main libre de Rinaldo. Une large cicatrice courait sur son dos. Fascinée, Alex fut incapable d'en détacher ses yeux.

Soudain, Rinaldo l'obligea à ouvrir sa paume et lui trempa doucement la main dans le ruisseau pour la rincer.

— Allons-y.

Incapable d'articuler un mot, elle acquiesça en silence.

De retour à la voiture, Rinaldo rebroussa chemin pour retrouver l'embranchement où ils avaient bifurqué. Mais, au lieu de suivre le panneau qui indiquait la direction de Florence, il prit le sens opposé.

— Où allons-nous ?

— A la maison.

— Quelle maison ?

— La mienne.

Une bouffée de plaisir inattendue submergea Alex. Elle s'aperçut qu'elle était plus curieuse de voir Belluna qu'elle n'avait voulu l'admettre.

Elle s'était imaginé une vieille ferme décrépite et fut surprise par la beauté de la maison qui se profila peu après devant elle. Avec son étage unique et son escalier à double révolution, elle possédait l'élégance et les proportions harmonieuses des grandes demeures italiennes de l'époque classique. La pierre jetait des reflets roses dans la lumière du soleil qui commençait à décliner.

— C'est magnifique !

Rinaldo hocha la tête avec fierté.

— Autrefois, c'était la plus belle villa de la région, mais son propriétaire a subi des revers de fortune qui l'ont obligé à vendre une partie de ses terres. La maison a changé de mains plusieurs fois jusqu'à ce que mon grand-père l'achète. Il y a travaillé d'arrache-pied pour lui rendre sa prospérité et, ensuite, mon père a pris la relève.

— Vous l'occupez entièrement ?

— Une partie, seulement. Teresa, notre gouvernante, a déjà du mal à entretenir les pièces que nous occupons, alors il n'est pas question d'ouvrir les autres. De toute façon, nous n'en avons pas besoin.

Une porte s'ouvrit au rez-de-chaussée mais, au lieu de la gouvernante, Alex vit apparaître un énorme chien. D'ascendance douteuse, il tenait à la fois du berger allemand, du danois et du saint-bernard.

Il se précipita vers la voiture en aboyant joyeusement, mais s'approcha si près que Rinaldo dut freiner brusquement pour ne pas l'écraser. Sourd aux invectives que lui adressait son maître, le chien posa les pattes sur le rebord de sa fenêtre et lui donna un grand coup de langue sur le visage.

— Quel idiot ! s'exclama Rinaldo. Ce demi-fou est Brutus. Il croit qu'il m'appartient ou que je lui appartiens, je n'ai jamais pu savoir.

Il caressa la tête de l'animal d'un geste plein d'affection puis le repoussa avec douceur. Brutus s'écarta à contrecœur, mais dès qu'ils sortirent de voiture, il se jeta sur Alex en jappant.

Surprise, elle poussa un cri puis baissa un regard consterné sur son pantalon où s'étalait une grande trace noire. La protestation qui lui vint spontanément à la bouche mourut sur ses lèvres quand elle vit l'air béat du chien qui semblait ravi de son exploit.

— J'imagine que cela ne sert à rien de t'adresser des reproches, dit-elle en désignant la tache.

Le jappement convaincu qui lui répondit lui arracha un sourire involontaire.

— Dans ce cas, ça va pour cette fois, mais si tu t'avises de recommencer…

Elle hésita puis répéta :

— Si tu t'avises de recommencer, je crois que je n'aurais pas d'autre choix que de te pardonner encore.

— Je suis désolé, déclara Rinaldo d'un air navré. Tu es vraiment impossible, Brutus !

— Ne lui en voulez pas. C'est sa façon de m'accueillir.

— D'ordinaire, il fuit les inconnus. C'est la première fois qu'il fait fête à un étranger. Il va de soi que je règlerai la facture du teinturier.

— Cela ne partira pas.

— Dans ce cas, je vous rachèterai un pantalon.

— Si je vous disais le prix, vous tomberiez à la renverse et je m'en voudrais de gâcher le reste de votre journée.

Rinaldo lui jeta un regard stupéfait.

— Vous prenez la chose plutôt bien.

— Cela vous intrigue, je parie. Et si vous êtes persuadé que ma bienveillance n'est pas gratuite, vous vous trompez, une fois de plus. Un chien est un chien et, en général, ils font des bêtises.

Cette déclaration ébranla manifestement les certitudes de Rinaldo à son égard et Alex s'en réjouit secrètement. Plus il serait désorienté, mieux elle se porterait.

Une femme dont la tête s'auréolait de cheveux blancs fit son apparition sur le perron. Son regard bleu, vif et pétillant, évalua Alex d'un coup d'œil.

— Teresa, je te présente la *signorina* Dacre, qui vient d'Angleterre, déclara Rinaldo. C'est la petite-nièce d'Enrico Mori.

En serrant la main de Teresa, Alex nota une lueur d'hésitation dans les yeux de la gouvernante. Les deux frères avaient sans doute parlé d'elle devant la vieille dame et celle-ci se méfiait, elle aussi.

— Teresa, Mlle Dacre souffre un peu de la chaleur. Peux-tu lui montrer la chambre d'amis pour qu'elle se repose un moment ?

Plus que de la chaleur, Alex était encore sous le coup de l'étrange émotion qui s'était emparée d'elle au bord du ruisseau. Quelques minutes de tranquillité lui permettraient de retrouver son aplomb.

Sans un mot, la gouvernante guida la jeune femme à l'étage et la précéda dans une vaste chambre dont les persiennes closes procuraient une pénombre agréable. Après s'être longuement passé le visage à l'eau froide dans la salle de bains, Alex se sentit de nouveau elle-même.

Dès qu'elle regagna le hall, Teresa l'introduisit dans une pièce située à l'arrière de la maison. De grandes fenêtres ouvraient sur une immense terrasse dallée où l'on avait disposé le couvert sur une table.

Lorsque Alex pénétra dans la pièce, Rinaldo finissait de déboucher une bouteille de vin.

— Vous vous sentez mieux ?

— Oui, je vous remercie. Je me sentais juste… enfin… j'avais besoin de… de recouvrer mes esprits.

Rinaldo hocha la tête pour lui signifier qu'il comprenait l'émotion qui l'avait assaillie près du ruisseau. Sans rien dire, il lui tendit un verre de vin blanc et l'invita à s'asseoir à table. Peu après, Teresa apporta un assortiment de légumes grillés qui fondaient dans la bouche.

— Ce n'est pas très prudent de me recevoir aussi bien, déclara Alex. Cela pourrait me donner envie de rester en Italie.

— Vous oubliez l'homme qui vous a téléphoné tout à l'heure. Il doit attendre votre retour avec impatience.

Cette idée était si comique qu'Alex esquissa un sourire.

— Pourquoi souriez-vous ?

— David n'est pas homme à se languir.

— Mais vous l'aimez ?

— Cela ne vous regarde pas.

— Que si ! Tant que je serai en votre pouvoir, cela me regarde.

— Je ne tiens pas à parler de David.

— Pourquoi ça ? C'est un sujet douloureux ?

— Non, mais il est assez difficile de décrire notre relation.

— Parce qu'elle manque de passion ?

— Je refuse de vous répondre.

— Si c'est le cas, cette séparation doit vous coûter terriblement.

Alex se tira de ce mauvais pas grâce à son sens de l'humour.

— Vous oubliez que je suis une nordique, une Anglaise au sang-froid que rien n'émeut, même pas les déclarations d'amour les plus enflammées. La passion n'existe pas pour nous. Nous traitons les relations amoureuses comme on traite une affaire.

Une lueur étincela dans les yeux de Rinaldo.

— Vous avez une fâcheuse tendance à la provocation.

— Prenez-le comme vous voudrez. David et moi devons nous marier, mais je refuse d'aborder le sujet avec vous, c'est clair ?

Au silence méditatif qui suivit cette repartie, Alex comprit que Rinaldo prenait l'annonce de son mariage imminent comme un défi.

5.

Un faisan au marsala succéda à l'entrée. Devant ce festin, Alex décida d'enterrer la hache de guerre pour le savourer selon ses mérites. La dispute pouvait attendre.

La lumière du jour diminuait, estompant peu à peu les contours des collines. Le disque rougeoyant du soleil qui se tenait juste au-dessus des crêtes illuminait les quelques nuages épars d'un éclat cramoisi.

Brutus se faufila auprès de son maître et lui posa le museau sur le bras en quémandant du regard. Au lieu de le renvoyer sans ménagement comme Alex s'y attendait, Rinaldo donna un morceau de viande au chien tout en déclarant :

— Surtout ne m'imitez pas. Si vous vous laissez attendrir, il vous harcèlera en permanence.

— Cela ne me gênerait pas. Il est tellement gentil qu'il est difficile de lui résister.

— Ce n'est qu'un chien, riposta Rinaldo d'un ton sec. Viens, Brutus.

Repoussant sa chaise d'un mouvement brusque, il rentra à l'intérieur, suivi docilement par Brutus. Surprise par ce brutal changement d'humeur, Alex fronça les sourcils. Pourquoi prenait-il la mouche ? Parce qu'elle appréciait son chien ? Décidément, cet homme ne réagissait jamais comme tout le monde.

Lorsqu'il revint, quelques instants plus tard, il semblait avoir oublié l'incident.

— Je comprends mieux votre situation, déclara-t-il. Vous avez besoin de cet argent parce que vous allez épouser ce David.

— Vous vous trompez. J'en ai besoin pour acheter ma part d'associé dans le cabinet où je travaille. Il s'agit d'un des meilleurs de Londres, ce qui signifie que les charges y sont exorbitantes. David est expert-comptable dans la même société, mais cela n'a rien à voir avec mon besoin d'argent.

Elle attendit une réplique cinglante. Rinaldo se contenta de hocher la tête d'un air pensif.

— Vous connaissiez bien Enrico ?

— Pas vraiment, mais il était très attaché à ma mère qui me parlait très souvent de lui. D'une façon générale, elle était intarissable sur l'Italie. Elle m'a raconté tellement de choses sur la Toscane que j'ai eu l'impression qu'elle m'était familière en arrivant à Florence. Elle m'a également appris à parler italien dès mon plus jeune âge.

Rinaldo fronça les sourcils comme s'il essayait de se rappeler quelque chose.

— Quel était le prénom de votre mère ?

— Berta.

— Etait-elle plutôt petite avec des cheveux blonds roux ?

— En effet. Vous l'avez connue ?

— Je l'ai rencontrée une fois, il y a des années, quand j'avais sept ou huit ans. Enrico l'avait amenée à une soirée ici. Elle était drôle, gentille et avait un joli rire. A l'époque, j'avais une passion pour les dés et elle m'a proposé une partie. Comme elle jouait très bien, elle m'a battu à plates coutures. Ensuite, elle est partie pour l'Angleterre et je ne l'ai jamais revue.

Il se tut un instant puis secoua la tête.

— Vous êtes la fille de Berta ! Je n'en reviens pas.

— Vous deviez le savoir, pourtant.

— Je n'avais pas fait le lien. Sans doute parce que j'étais trop en colère.

— J'espère que vous n'allez plus me considérer comme une ennemie, maintenant.

Rinaldo fit mine de réfléchir.

— Vous savez jouer aux dés ?

Tous deux éclatèrent de rire en même temps puis Rinaldo demanda :

— Parlez-moi encore de votre mère.

— Elle avait un tempérament explosif et très émotif. Nous n'étions pas toujours d'accord, mais nous nous adorions. Cela étant, je crois que je la comprends mieux depuis que je suis ici. L'atmosphère est tellement différente ! Il est impossible de rester froid et calme dans un pays pareil.

— C'est pour cela que nous n'avons pas ce type de tempérament.

— Il doit bien exister quelques Italiens pondérés et raisonnables, murmura Alex d'un air malicieux.

Rinaldo sourit.

— Sans doute un ou deux qui se terrent dans un coin.

— Trop honteux pour se montrer au grand jour.

— Certainement. L'Italie s'est bâtie sur la passion, pas sur la raison. On ne construit pas les monuments ou les palais que vous avez vus sans démesure. On ne crée pas non plus d'œuvres d'art dans la modération. Il en va de même pour toutes les bonnes choses de l'existence : la bonne chère, le vin, la beauté. Ce n'est pas en restant derrière un bureau bien ordonné que cela s'invente, mais en se jetant dans le tourbillon de l'existence.

L'allusion à la vie qu'elle menait était trop évidente pour qu'elle échappe à Alex.

— N'y a-t-il pas une certaine beauté dans l'ordre ?

Contrairement à ce qu'elle attendait, Rinaldo ne rejeta pas cette objection.

— Du moment que ce n'est pas l'unique composante de votre vie, si.

Alex aurait voulu défendre son point de vue avec plus de conviction, mais les mots lui manquèrent. Elle se vit assise à son bureau devant son ordinateur, courant d'une réunion à une autre dans un bâtiment gris et sans âme d'où l'air conditionné bannissait toute turbulence et où les éléments de la nature étaient proscrits. Son emploi du temps était réglé comme du papier à musique, de même que ses rendez-vous avec David. Il n'y avait pas la moindre place pour l'imprévu ou la spontanéité. Sa vie était ordonnée, certes, mais belle ? Cela restait à voir.

Le soleil jetait ses derniers feux. Lorsqu'un rayon encore chaud se posa sur Alex, un merveilleux bien-être l'envahit.

La raison commandait de lutter contre cette sensation, mais elle n'avait pas vraiment envie de résister. Juste celle de savourer l'instant présent, sans arrière-pensée.

Une voiture remonta l'allée qui menait à la maison. Alex reconnut sans mal celle de Gino. Il leur adressa un grand salut de la main avant de disparaître en direction des garages.

Alex avait beau l'apprécier, elle aurait préféré qu'il ne rentre pas si tôt. Son arrivée ne pouvait que troubler le sentiment de paix qui l'habitait.

Le plus étrange était qu'elle puisse ressentir cette impression en compagnie de Rinaldo. Pour la première fois, il semblait détendu, presque satisfait de son sort.

A son grand soulagement, Gino ne les rejoignit pas pour le dessert que Teresa servit en même temps que le café.

— Le café est délicieux, fit remarquer Alex.

— Je le dirai à Teresa. Cela lui fera plaisir.

— Je lui dirai moi-même avant de partir.

Rinaldo marqua une légère hésitation avant de répondre :

— Comme vous voudrez.

— Je ne vais pas tarder, d'ailleurs. Je voudrais me coucher tôt pour être à l'heure à l'enterrement d'Enrico. Sa famille a ameuté le ban et l'arrière ban.

— Pourquoi parlez-vous de la famille d'Enrico comme d'étrangers ? Vous en faites partie.

— Ils ne me considèrent pas comme une des leurs et m'en veulent autant que vous.

— Je ne vous en veux pas, j'espère que vous l'avez compris, aujourd'hui. Belluna a gagné en prospérité grâce à l'argent que mon père a emprunté à Enrico. Il est juste que vous en soyez remboursée. C'est même votre droit.

Alex esquissa une moue désapprobatrice.

— Cela m'ennuie que vous parliez de droits.

Dans son univers quotidien, tout s'organisait autour et en fonction des droits. On avait droit à ci, à ça ou à l'inverse et cela permettait de toujours savoir où l'on en était.

Mais ici, cela n'avait plus d'importance.

— Je suppose que les vautours vont m'assaillir demain, comme à l'enterrement de votre père.

— J'ai une petite idée sur le moyen de les en empêcher.

Au grand dépit d'Alex, l'apparition de Gino l'empêcha d'interroger son compagnon sur la nature de son idée.

— C'est formidable ! s'exclama Gino. Quand Rinaldo m'a annoncé la nouvelle, je n'en ai pas cru mes oreilles.

— Quelle nouvelle ?

— Que vous vous installiez à Belluna, bien sûr !

— Mais je ne m'installe pas. Je suis même sur le point de repartir pour Florence si l'un d'entre vous veut bien me raccompagner.

Un silence pesant s'abattit sur le trio. Et quand Gino consulta Rinaldo du regard, celui-ci haussa les épaules. En d'autres circonstances, Alex aurait pris la chose en riant, mais le soupçon qui l'envahit la fit bondir de sa chaise.

— Vous partez ! s'écria Gino. Mais… je viens juste de monter vos valises !

— De quel droit, je vous prie ?

— Rinaldo me l'a demandé.

Partagée entre l'incrédulité et l'indignation, Alex fixa ce dernier d'un regard accusateur. Nullement troublé, il répliqua posément :

— Il me paraît normal que vous restiez ici pour connaître Belluna.

— Vous n'avez pas songé à me consulter ?

— Vous auriez pu refuser.

— Vous avez raison. D'ailleurs, je refuse.

Un profond désarroi se peignit sur le visage de Gino.

— Teresa est en train de vider vos valises !

— Comment peut-elle vider des valises que je n'ai pas faites ?

— L'hôtel a tout préparé.

— Qui leur en a donné l'ordre ?

Impressionné par la fureur qui se reflétait dans les yeux d'Alex, Gino recula en levant les mains pour refuser toute responsabilité.

— C'est moi, déclara Rinaldo sans se départir de son calme. J'ai appelé pour prévenir que vous ne reviendriez pas et demander qu'on prépare vos affaires.

— Et la note ? Vous l'avez réglée aussi ?

— L'hôtel a pris l'empreinte de votre carte de crédit lors de votre arrivée. Le réceptionniste s'en est servi, voilà tout. De toute façon, le directeur est un vieil ami, alors cela n'aurait posé aucun problème que vous passiez régler après.

— En bref, il est à vos ordres, riposta Alex, folle de rage.

— Je n'ai pas eu besoin de lui donner d'ordre. Il sait qu'on peut me faire confiance.

— Et si je conteste la facture ?

— Vous n'aurez qu'à passer demain pour la vérifier.

— Je vais le faire dès ce soir. Il n'est pas question que je reste ici. Vous avez vraiment perdu la tête !

Hors d'elle, elle se tourna de nouveau vers Gino.

— J'avais une meilleure opinion de vous.

— Je croyais sincèrement que vous étiez d'accord.

— Voulez-vous me ramener à Florence ou dois-je appeler un taxi ?

— Je vous ramène, bien sûr.

— Il n'en est pas question ! grommela Rinaldo.

Gino contempla son frère avec stupeur.

— Enfin, Rinaldo ! A quoi penses-tu ?

— Je pense à la façon dont cette histoire risque de se terminer.

— Une fois de plus, vous nous traitez comme si nous n'étions que des marionnettes, rétorqua Alex. Si vous espériez que j'allais me soumettre gentiment et vous laisser m'emprisonner, vous rêviez !

— Vous emprisonner ? Ne soyez pas ridicule !

— Comment appelez-vous le fait de me retenir ici contre mon gré ?

— Vous avez raison, déclara Gino. Je vous ramène à Florence.

Devant le défi que lui lançait ouvertement son frère, Rinaldo lui jeta un regard chargé d'incrédulité.

— Ne prends pas la défense de quelqu'un contre moi, Gino.

— Alors ne m'oblige pas à le faire ! Tu es allé trop loin, cette fois. Tu as tellement l'habitude que tout le monde en passe par tes quatre volontés que tu ne supportes pas la moindre opposition. Encore heureux qu'Alex soit de taille à te résister.

Rinaldo jeta à son frère une œillade furibonde.

— Fais comme tu voudras !

Gino considéra Alex d'un regard suppliant.

— Je n'ai aucune envie que vous partiez, pourtant, si c'est vraiment ce que vous voulez, je vous ramène tout de suite.

— Vous désirez vraiment que je reste ?

— Oui, mais pas contre votre gré.

— Si on me le proposait gentiment, je serais heureuse de rester.

A ces mots, le visage de Gino s'illumina. Un grand sourire aux lèvres, il mit un genou à terre et leva la tête vers la jeune femme.

— Alex, voulez-vous nous faire l'honneur d'être notre invitée pour aussi longtemps que vous le voudrez ?

— J'accepte volontiers.

— Quel cirque ! s'exclama Rinaldo d'un ton cinglant. Si vous acceptez de rester, il n'y avait pas de quoi faire toutes ces histoires.

Alex riposta d'un ton sec :

— Décidément, vous ne comprenez rien à rien.

— C'est le moins qu'on puisse dire, renchérit Gino.

Cette remarque lui valut un autre coup d'œil incendiaire de son frère.

Exaspérée par le comportement de Rinaldo, Alex décida de fausser compagnie aux deux frères.

— Je vous laisse poursuivre votre dispute sans moi. Bonsoir, messieurs.

Là-dessus, elle s'éclipsa sans autre forme de procès.

Teresa s'apprêtait à quitter la chambre quand Alex y pénétra. La gouvernante venait de suspendre ses vêtements et en emportait une partie pour les repasser.

— Je m'en occuperai, déclara Alex. Ne vous donnez pas ce mal.

— C'est impossible ! Vous êtes la patronne.

— Surtout ne dites pas ça devant Rinaldo, sinon il risque de m'étrangler avant que j'aie eu le temps l'étrangler, lui.

Elle écumait encore contre son hôte. Pourtant, grâce à l'intervention de Gino, la situation qu'il avait tenté de lui imposer se retournait contre lui. L'incident aurait donc dû être clos, mais elle ne pouvait s'empêcher de ruminer en se rappelant la façon dont il avait endormi sa méfiance pour mieux la berner.

Un sourire, quelques mots gentils et elle était tombée dans le piège avec une naïveté affligeante. C'était franchement pathétique.

Chassant résolument Rinaldo de ses pensées, elle examina la chambre. Avec ses meubles anciens et son parquet qui fleurait bon la cire, elle offrait un contraste saisissant avec son appartement londonien où elle avait opté pour une décoration ultracontemporaine. Pourtant, elle tomba sous le charme et s'y sentit tout de suite à l'aise.

Dehors, la nuit succédait au crépuscule. Sur une impulsion, Alex se glissa hors de la chambre et descendit dans le jardin.

Après la chaleur de la journée, l'air lui parut très doux et parfumé. La tête levée vers les étoiles, elle inspira profondément.

— Vous acceptez encore de me parler ?

Gino venait de surgir sur le seuil.

— Ce n'est pas à vous que j'en veux, vous devriez le savoir.

— Vous me rassurez.

— En fait, je suis ravie de séjourner ici, mais votre frère s'y est vraiment très mal pris. Si vous n'aviez pas joué la comédie en vous agenouillant, je serais partie pour lui faire comprendre qu'il avait dépassé les bornes.

— Je n'ai pas joué la comédie. Je suis à genoux devant vous.

— Ne dites pas de bêtises ! Si je vous prenais au sérieux, vous seriez bien avancé !

— Je serais au paradis. Mais puisque vous refusez de m'écouter, venez avec moi visiter les écuries. Je pense qu'un de nos chevaux vous conviendrait parfaitement.

Un léger trottinement se fit entendre derrière eux tandis qu'ils se dirigeaient vers les écuries. Brutus apparut soudain et se mit à lécher la main d'Alex avec enthousiasme. La jeune femme s'accroupit pour lui caresser la tête en riant.

— Du calme, mon grand. Tu vas finir par me dévorer.

Lorsqu'elle se redressa, Gino expliqua :

— Il appartenait à Maria. Elle l'a amené le jour de son mariage avec Rinaldo alors qu'il n'était qu'un chiot. Il est très vieux et souffre d'arthrite, mais mon frère dépense une fortune pour le soigner. Le prix de son injection mensuelle est exorbitant et, à mon avis, Rinaldo débourse davantage pour Brutus que pour lui-même.

Alex s'expliqua enfin la réaction de Rinaldo lorsqu'elle avait témoigné de l'indulgence à l'égard de son chien. Ce qu'elle avait pris pour de l'irritation n'était en fait qu'un sentiment de possessivité exclusif envers la seule créature vivante qui lui rappelait encore sa femme.

Mais un deuil de quinze ans semblait bien long.

A la sortie d'un bosquet, ils débouchèrent sur un long bâtiment dont une partie servait de garage, l'autre d'écurie.

Une fois la lumière allumée, Gino guida Alex le long des stalles où les animaux les regardaient d'un œil curieux.

— La grande brute d'étalon qui se trouve au fond appartient à Rinaldo, expliqua Gino. Le gris pommelé est le mien et l'autre est destiné aux hôtes de passage. Je pense qu'il vous plaira.

En effet, le cheval bai aux yeux noisette très doux plut tout de suite à Alex.

— Nous irons nous promener demain, après l'enterrement.

En sortant de l'écurie, Gino glissa un bras autour de la taille de la jeune femme et lui posa un baiser sur la bouche.

— Voyons, Gino ! Un peu de tenue, s'il vous plaît.

Se dégageant en riant, Alex courut jusqu'à la maison. Gino la suivit et la rattrapa au moment où elle atteignait le porche illuminé.

— Vous n'avez pas de cœur ! Si je m'agenouille encore, vous vous montrerez plus gentille ?

— Ne soyez pas stupide et laissez-moi. Je voudrais monter me coucher.

Pour toute réponse, il l'enlaça de nouveau et lui vola un autre baiser.

— Alex, vous ne croyez pas que nous pourrions…

— Non ! Ça suffit, maintenant. Je suis fiancée, je vous signale.

— Mais si vous ne l'étiez pas, vous et moi…

La mine suppliante de Gino évoquait un chiot quémandant une caresse. Alex se retint pour ne pas rire.

— N'insistez pas, Gino.

— Encore un baiser, alors !

Malgré la résistance d'Alex, il réussit à lui en dérober un autre avant qu'elle le repousse et s'enfuie à l'intérieur.

Quelqu'un s'éclaircit la gorge juste au-dessus de la tête de Gino. Levant la tête d'un mouvement vif, il aperçut son frère devant une fenêtre grande ouverte.

— Je suppose que tu as tout vu.

— Assez pour être édifié.

— Elle m'aime, j'en suis sûr ! Elle m'adore même !

— Va te coucher !

Sur cette réponse plus que sèche, Rinaldo referma bruyamment sa fenêtre.

Le lendemain matin, Rinaldo vint trouver Alex alors qu'elle terminait son petit déjeuner. Il arborait son air crispé habituel.

— Puisque la messe d'enterrement d'Enrico a lieu à la cathédrale, je suppose que vous voudrez emporter vos bagages pour retourner vous installer à l'hôtel tout de suite après ?

— Pourquoi ça ?

— Je croyais que vous vouliez partir d'ici.

— C'était avant que Gino n'intervienne. Son invitation était irrésistible, elle.

— Ne jouez pas ce petit jeu avec moi.

— Je ne joue pas. Je me contente d'accepter une invitation que vous avez été le premier à formuler. Vous vous en souvenez, j'espère ?

Sa seule réponse fut un regard noir auquel elle répondit par un sourire taquin.

— Vous allez peut-être regretter de m'avoir amenée ici.

— Je le regrette déjà.

A cet instant, Gino fit son apparition.

— Tout va bien ?

— Très bien, répondit Alex. Rinaldo s'inquiétait de savoir si j'avais bien dormi et si je souhaitais vraiment rester.

Gino lui entoura la taille.

— Moi, je le souhaite. Promettez-moi que vous ne partirez pas.

— Je vous promets de rester aussi longtemps que vous voudrez bien de moi.

Le visage sérieux, Rinaldo tourna les talons et quitta la pièce sans un mot.

Lorsque Alex remonta la nef de la cathédrale encadrée par les deux frères, de nombreuses têtes se retournèrent sur leur passage. La mine consternée de Montelli en les voyant ensemble procura une vive satisfaction à la jeune femme qui comprit brusquement en quoi consistait la « petite idée » de Rinaldo pour tenir les importuns à l'écart. Pour un peu, elle lui aurait été presque reconnaissante. Presque, seulement…

Au cours de la réception qui suivit, Isidoro vint la trouver.

— J'ai promis à une douzaine de personnes que vous leur accorderiez un entretien.

— Il faudra qu'elles patientent un peu.

— Mais…

— Vous n'avez qu'à leur dire que je tiens à laisser la priorité aux Farnese.

Le notaire baissa brusquement la voix :

— A la façon dont ils vous encadraient quand vous êtes entrée dans la cathédrale, on aurait cru qu'ils vous retenaient prisonnière.

Alex secoua la tête en souriant.

— En fait, c'est plutôt l'inverse. J'ai mon plan, figurez-vous.

— Les Farnese le connaissent ?

— Ils le croient. Débarrassez-moi des charognards, Isidoro et dites-leur qu'il est inutile d'essayer de me forcer la main.

Dès qu'Isidoro s'éloigna, les cousins d'Alex se précipitèrent vers elle en déployant force démonstrations d'affection. Alex se libéra assez rapidement et rejoignit les deux frères en arborant un sourire rayonnant.

— Qu'y a-t-il de si drôle ? s'enquit Rinaldo.

— Mes cousins m'ont tous invitée à dîner. J'ai accepté à la condition que vous m'accompagniez. Inutile de préciser que cette réponse les a immédiatement refroidis.

Un éclat de rire aussi sonore qu'inattendu monta de la gorge de Rinaldo.

— Nous allons faire mieux, dit-il. Nous allons les inviter nous-mêmes.

— Je leur déconseillerai d'accepter. Vous seriez capable d'empoisonner les plats.

Pour la première fois, le sourire de Rinaldo se fit complice.

6.

Le lendemain matin, en quittant sa chambre, Rinaldo découvrit son frère planté sur le palier devant une fenêtre. Gino fixait son attention sur l'allée de tilleuls qui longeait la cour.

— Je parie que tu as encore trouvé une excuse pour ne pas aller travailler ! déclara Rinaldo.

— Et quelle excuse ! répliqua Gino sans quitter des yeux la silhouette fine qui courait sous les arbres.

Rinaldo ne vit d'abord qu'un éclair écarlate. Puis il reconnut Alex dans la jeune femme mince et élancée moulée dans un short long en lycra qui scintillait à chaque foulée. En guise de haut, elle portait un brassard assorti qui lui découvrait la partie basse du torse et ne laissait aucun doute sur la perfection de ses formes.

Les deux frères la suivirent des yeux jusqu'à la grange où elle s'engouffra. Ils échangèrent un regard perplexe puis, sans échanger un mot, dévalèrent l'escalier pour se diriger vers la grange d'un pas décidé.

De larges poutres de bois traversaient l'édifice de part en part. Alex avait fixé sur l'une d'elles une sorte d'échelle horizontale composée d'anneaux auxquels elle s'agrippait les uns après les autres pour progresser vers le fond de la grange, telle une tarzan en jupons. Une botte de foin placée au pied du premier anneau lui avait servi de marchepied pour l'atteindre.

Suspendue en l'air, elle progressait lentement en se balançant d'anneau en anneau. En atteignant le dernier, elle fit volte-face pour repartir vers la botte où elle pourrait atterrir sans dommage.

Une fois arrivée au bout, Gino poussa la botte d'un coup de pied et tendit les bras pour la recevoir.

— Allez-y ! Je vous réceptionne.

Mais lorsque Alex se laissa tomber ce fut Rinaldo qui la reçut dans ses bras. Ses mains puissantes encerclèrent sa taille nue tandis qu'il la serrait contre lui en la contemplant de cet air à la fois sombre et ironique qui le caractérisait.

— Dis donc ! protesta Gino. Tu n'avais pas besoin de me pousser comme ça.

— Que si ! Nous n'avons pas de temps à perdre en batifolages. Le travail nous attend.

— Peut-être, mais tu n'avais pas le droit de…

— Si vous aviez l'amabilité de cesser votre dispute, je pourrais peut-être retrouver la terre ferme ! s'exclama Alex, furieuse.

Rinaldo la reposa aussitôt. Haletante, elle tenta de retrouver son souffle tout en luttant contre la chaleur inhabituelle qui envahissait son corps.

— Merci !

— Vous avez l'intention de vous livrer à ce genre d'exercice souvent ? demanda Rinaldo.

— Tous les jours. Cela me permet de rester en forme.

— Si vous travailliez dans l'exploitation, vous obtiendriez le même résultat. Cela pourrait vous intéresser, qui sait ? Mais si vous comptez recommencer votre petite séance de sport matinal, vous feriez bien de choisir une tenue décente. Je ne tiens pas à ce que mes ouvriers soient distraits de leur tâche.

Sur cette algarade, il sortit de la grange sans un regard en arrière. Folle de rage, Alex s'élança à sa suite, mais Gino la retint par le bras.

— Ne gaspillez pas votre énergie pour rien.

— Un de ces jours, je vais le tuer !

— Contentez-vous d'en rêver comme tout le monde.

— Qu'entend-il par tenue décente ?

— Eh bien, dans cette tenue vous êtes très distrayante… et très agréable à enlacer…

Joignant le geste à la parole, il lui entoura la taille d'un bras langoureux.

— Lâchez-moi ! Je n'ai aucune envie de vous distraire.

— Vous me distrayez en permanence.

— Gino !

L'appel lancé d'une voix autoritaire venait de l'extérieur.

Gino libéra Alex à contrecœur.

— Si nous allions le tuer ensemble ? suggéra-t-il avant de s'éclipser.

En regagnant sa chambre, Alex se précipita sous la douche et tourna le robinet d'eau froide à fond. Mais rien ne put apaiser le brasier qui semblait avoir pris possession de son corps depuis que les mains de Rinaldo s'étaient refermées autour de sa taille.

S'il l'avait rattrapée, Gino en aurait sûrement profité pour lui dérober un autre baiser. Rinaldo était resté de marbre, lui.

Alex se frotta énergiquement, là où il avait posé les mains et sentit de nouveau la pression de ses doigts, la même chaleur intense qui se propageait par vagues pour envahir chaque fibre de son corps.

Elle attendit longtemps avant de se risquer hors de sa chambre et lorsqu'elle s'y résolut les deux frères étaient partis.

Quand Gino lui fit découvrir la propriété à cheval, Belluna éblouit Alex. L'étendue des terres, la diversité des paysages et la variété des cultures suscitèrent son admiration enthousiaste. Les champs d'oliviers côtoyaient les champs de blé ou de maïs, mais l'élément noble, celui dont les Farnese tiraient leur fierté, étaient les vignes accrochées à flanc de colline.

— Ce sont des pieds de Sangiovese qui donnent le chianti, expliqua Gino. Le vrai chianti, élevé et embouteillé sur place. D'autres ont essayé d'en faire pousser partout dans le monde, mais personne n'a jamais réussi à obtenir un vin comparable.

L'arrogance toute toscane qui perçait dans la voix de Gino fit sourire Alex. Le charmeur insouciant cachait un homme passionné et aussi viscéralement attaché à cette terre que son frère… même si en matière d'arrogance et de provocation personne n'arrivait à la cheville de Rinaldo. D'un mot, d'un geste ou d'un regard ce dernier avait l'art de la faire sortir de ses gonds.

Ses longues escapades en compagnie de Gino ne suscitèrent chez lui ni commentaires ni réactions. Il semblait s'en moquer royalement, comme s'il ne remarquait rien. Et, lorsque Gino et elle évoquaient pendant le dîner ce qu'ils avaient vu dans la journée, il leur témoignait peu d'intérêt. Il écoutait sans rien dire puis, la dernière bouchée avalée, il s'éclipsait dans son bureau sans même marmonner une excuse.

Un soir, alors qu'il venait une fois de plus de quitter brusquement la table, Alex explosa :

— Quel ours ! Une telle indifférence me donne envie de me cogner la tête contre les murs.

— Il vaut mieux cogner la sienne que la vôtre.

— Vous croyez que cela servirait à quelque chose ?

— Non. Certaines personnes s'y efforcent en vain depuis des années.

— Comment les gens font-ils pour le supporter ?

L'attitude de Rinaldo à son égard l'irritait autant qu'elle la blessait. Elle avait l'impression d'être transparente, de ne pas exister, comme s'il lui niait toute réalité.

— Il faut une longue pratique, répliqua Gino en étouffant un bâillement. Pardonnez-moi, mais la journée a été longue.

— Vous avez raison. Il est temps de rejoindre les bras de Morphée.

Au fur et à mesure que les jours passaient, Alex s'attachait de plus en plus à sa chambre. Au grand dam de Teresa, elle faisait son lit chaque matin et prenait un plaisir particulier à aérer les draps en les secouant par la fenêtre.

Un jour, la couverture était tombée par inadvertance sur la tête de Rinaldo qui passait juste en dessous. Le chapelet de jurons qui lui avait échappé et le regard furibond qu'il lui avait adressé suscitaient encore son hilarité. Ce jour-là, elle comprit qu'une grande partie du plaisir que lui procurait son séjour à Belluna provenait de la certitude que sa présence exaspérait Rinaldo.

— Teresa vous en veut, déclara-t-il un matin alors qu'ils prenaient tous les trois le petit déjeuner.

— Je sais. Elle trouve anormal que je fasse le ménage dans ma chambre et que je l'aide dans la cuisine.

— Dans ce cas, pourquoi le faites-vous ?

— Je ne tiens pas à être un fardeau supplémentaire. Elle est bien trop âgée pour assumer seule la charge d'une maison aussi vaste.

— Quand je lui ai proposé d'engager quelqu'un d'autre, elle a refusé catégoriquement.

— Et vous n'avez pas insisté parce que cela vous arrangeait. C'est typique d'un homme !

— Ce genre de décision incombait à mon père, or, je vous rappelle qu'il est mort récemment.

— Vous auriez dû lui forcer la main. Teresa a une tâche trop lourde sur les épaules, même si sa fierté lui interdit de l'admettre. Peut-être redoute-t-elle aussi que vous la mettiez à la porte.

— Comme si j'étais capable de faire une chose pareille !

— C'est à elle qu'il faut le dire, pas à moi. Et tant qu'à faire, dites-lui aussi qu'elle a besoin d'aide que cela lui plaise ou non. Soyez ferme. Vous êtes un homme ou une souris, bon sang ?

Il lui jeta un regard noir.

— Je commence à me le demander.

— Vous savez bien que j'ai raison.

— Je sais surtout que vous vous mêlez de ce qui ne vous regarde pas.

— Vous ne pourriez pas vous adresser la parole sans vous disputer, pour une fois ? dit Gino d'un ton plaintif.

Alex haussa les épaules sans quitter Rinaldo des yeux.

— C'est une façon de communiquer comme une autre. Et puis, elle a le mérite d'être honnête. Les gens ne sont jamais aussi sincères que lorsqu'ils se critiquent.

— Voilà un raisonnement qui m'échappe.

A l'inverse de son frère, Rinaldo comprit parfaitement, comme le prouvait le regard mi-amusé mi-complice qu'il fixait sur Alex. Il signifiait, ce regard, qu'ils avaient le même point de vue sur le monde et que les autres pouvaient aller au diable.

— Je m'étonne que vous me donniez ce conseil, déclara-t-il. Si j'embauche du personnel supplémentaire, il faudra que je verse un autre salaire, ce qui signifie que vous devrez attendre votre argent encore plus longtemps.

— Cette maison est pleine de pièces vides. Si vous offrez une chambre à la nouvelle domestique, vous déduirez son logement du montant de son salaire et cela résoudra en partie votre problème.

— Une fois de plus, vous vous mêlez de ce qui ne vous regarde pas. Quand je pense au mal que je me suis donné pour vous amener ici, je m'en mords les doigts.

— Au lieu de m'insulter, suivez mon conseil, vous ne vous en porterez que mieux. Si vous craignez que Teresa ne refuse, proposez lui de choisir quelqu'un de sa famille ou cherchez un argument convaincant. Tout ce que je vous demande, c'est de ne pas rester les bras croisés pendant qu'elle se tue à la tâche.

— Faites attention, intervint Gino. Vous prenez des risques en bousculant mon frère. Il déteste qu'on lui donne des ordres… cela dit, ne craignez rien, je vous protègerai.

— Je suis parfaitement à même de me défendre contre lui sans votre aide, merci. De toute façon, je vois mal ce qu'il pourrait me faire.

— Vous jeter dehors, grommela Rinaldo.

— Cela m'étonnerait. Vous ne pourriez plus me surveiller et vous passeriez votre temps à vous demander si je ne suis pas en train de vendre l'hypothèque à Montelli derrière votre dos.

— Attention, Alex ! supplia Gino. N'allez pas trop loin.

— Je n'ai aucune envie de faire attention. C'est bien trop ennuyeux.

En effet, si Gino semblait inquiet, Alex s'amusait au plus haut point.

— Je croyais que vous nous laissiez la priorité pour racheter l'hypothèque, déclara Rinaldo.

— C'est vrai, mais si vous me fermez votre porte, qui sait ce que je pourrais promettre à celui qui m'invitera à dîner aux chandelles ?

— S'il faut vous offrir des dîners aux chandelles pour conserver vos bonnes grâces, je me porte volontaire, s'exclama Gino.

— Si vous m'offrez du champagne en plus, j'accepte avec joie.

— N'importe quoi, pourvu que cela vous fasse plaisir, *cara*…

Rinaldo repoussa sa chaise d'un air exaspéré et disparut dans la cuisine.

Quelques instants plus tard, ils entendirent des pleurs qu'entrecoupait la voix de Rinaldo. Il s'exprimait avec une douceur et une gentillesse qu'Alex ne lui connaissaient pas.

Le lendemain, ils se rendirent dans le village natal de Teresa à une cinquantaine de kilomètres de Belluna. En fin d'après-midi, ils revinrent en compagnie de Celia et Franca, deux des petites-nièces de la gouvernante.

Pendant que Teresa entraînait ses nièces vers la maison, Rinaldo retint Alex par le bras.

— Merci, Alex. Vous aviez raison.

— Je suis certaine qu'elle est ravie d'avoir leur compagnie.

— C'est vrai. Je n'y avais pas pensé non plus, mais elle avait l'habitude de bavarder avec mon père, le soir, quand il ne sortait pas. Depuis sa mort, elle passe ses soirées dans la cuisine assise sur une chaise. Comment avez-vous pu vous apercevoir qu'elle souffrait de solitude et pas moi ?

— Parce que je suis étrangère à la maison. On remarque plus facilement ce qui ne va pas avec un œil neuf.

— Vous n'êtes pas une étrangère.

Laissant Alex à sa surprise, il s'éloigna sans plus de précisions.

En moins de deux jours, Celia et Franca prirent en main les tâches les plus lourdes ne laissant à Teresa que la cuisine, son domaine de prédilection qu'elle gardait jalousement.

Alex ne sut jamais si Rinaldo avait expliqué à la gouvernante qu'elle était à l'origine de ce changement, mais, à partir de ce jour-là, Teresa la considéra comme une alliée et la consultait des yeux pendant les repas pour savoir si les plats lui convenaient.

Plus d'une fois, dans ces moments-là, Alex surprit le regard de Rinaldo rivé sur elle. Un regard troublant et mystérieux qui lui rappelait sa voix bizarrement enrouée quand il avait déclaré qu'elle n'était pas une étrangère.

Elle loua une autre voiture, mais, maintenant qu'elle se sentait libre de ses mouvements, elle s'aperçut qu'elle n'avait pas vraiment envie de s'éloigner de Belluna.

Le soir, au lieu de sortir systématiquement comme elle en avait l'habitude à Londres, elle lisait tranquillement jusqu'à la tombée de la nuit ou passait des heures à brosser Brutus pour le nettoyer.

— Il devient de plus en plus casanier, alors il n'est plus nécessaire de le brosser aussi souvent, déclara Rinaldo un soir.

— Il sort un peu avec moi quand je cours, le matin. Dès qu'il se fatigue, il fait demi-tour et va m'attendre dans la grange. Pendant que je fais mes exercices aux anneaux, il m'observe comme si j'étais une bête curieuse, mais nous sommes les meilleurs amis du monde, hein, mon gros.

Tout en parlant, elle enfouit la tête dans la fourrure de Brutus. Lorsqu'elle se redressa, elle s'aperçut que Rinaldo l'observait avec un demi-sourire.

Un matin, avant de partir travailler, il lui demanda :

— Cela me rendrait service si vous pouviez rester à la maison, ce matin. Le vétérinaire vient faire sa piqûre à Brutus et je ne pourrai pas être là.

— Bien sûr. Mais pourquoi le vétérinaire vient-il à domicile ?

— Brutus devient fou quand on l'enferme dans une voiture. Evidemment, cela revient cher, ajouta-t-il, avec une pointe d'embarras.

— En d'autres termes, cela s'ajoute à la liste des dépenses qui vont m'obliger à patienter pour toucher mon héritage. Si vous arrêtiez de me servir ce refrain, cela me ferait plaisir.

— Je m'efforce simplement de vous faire comprendre que je ne jette pas l'argent par les fenêtres pour le plaisir.

Alex s'exclama avec agacement :

— A force de vous entendre le répéter, je m'en rends compte ! Vous savez bien que je suis d'accord avec vous. Il ne faut pas regarder à la dépense quand il s'agit de Brutus.

Satisfait de cette réponse, Rinaldo acquiesça sans un mot puis il quitta la pièce.

Alex passa la matinée en compagnie du chien. Couché sur le tapis du salon, celui-ci haletait d'une façon inhabituelle sans manifester la moindre envie de bouger.

Le vétérinaire arriva en fin de matinée. Lorsque Alex se présenta, il sembla parfaitement au courant de la situation, comme tout le reste de la Toscane.

— Depuis combien de temps a-t-il du mal à respirer ?

— Depuis ce matin. Il ira mieux après sa piqûre, je suppose.

— Je peux l'empêcher de souffrir, mais ce n'est pas son arthrite qui provoque cet essoufflement.

Il palpa doucement la gorge du chien qui laissa échapper un gémissement de douleur.

— Il y a une boule dans la gorge. Etant donné son âge, c'est sûrement mauvais signe. Et puis, il a la truffe très blanche. J'ai bien peur qu'il ne soit en bout de course. Le mieux serait de le piquer pour qu'il s'éteigne en douceur.

— Je ne peux pas vous le permettre. C'est le chien de Rinaldo.

— Il ne peut pas repousser indéfiniment l'inévitable. Dites-lui de m'appeler quand il sera rentré. Il vaudrait mieux le piquer aujourd'hui. Voulez-vous que je lui fasse quand même son injection habituelle ?

— Bien sûr.

Après le départ du vétérinaire, Alex caressa tendrement la tête que Brutus avait posée sur ses genoux.

— Comment va-t-il pouvoir se résoudre à te laisser partir ? Tu représentes tout ce qui lui reste de Maria.

Ce soir-là, Gino fut le premier à rentrer. Alex venait de lui communiquer le diagnostic du vétérinaire quand Rinaldo les rejoignit.

Brutus se leva péniblement pour aller à sa rencontre. En le voyant se déplacer avec moins de difficulté, Rinaldo sourit et se baissa pour plonger les doigts dans sa fourrure soyeuse.

— Merci, Alex. Il a l'air d'aller mieux, même s'il respire toujours mal. Qu'a dit le vétérinaire à ce sujet ?

— D'après lui, cela n'annonce rien de bon. Il pense même qu'il faudrait le piquer et souhaite que vous l'appeliez pour en parler avec vous.

— C'est ridicule, voyons ! Il a besoin d'un bon repas, c'est tout.

— Il a rendu le peu qu'il a avalé depuis ce matin.

— Il mangera si c'est moi qui lui donne.

Mais lorsque Rinaldo présenta sa gamelle à Brutus, celui-ci refusa d'y toucher.

— Mange donc, Brutus. C'est ton plat préféré.

Le chien leva vers son maître un regard plein de confiance qui semblait lui signifier qu'il comptait sur lui pour affronter la vérité et prendre les mesures nécessaires.

Rinaldo se tourna vers Alex et Gino qui l'observaient sans rien dire.

— Il n'est pas le premier chien à refuser de la nourriture ! dit-il d'un ton agressif.

Là-dessus, il se rendit dans la pièce voisine pour appeler le vétérinaire. Lorsqu'il revint, quelques minutes plus tard, il déclara :

— Le vétérinaire sera là d'ici peu. Je sors.

Sans rien ajouter, il jeta un coup d'œil à Brutus qui lui emboîta lourdement le pas dans la lumière du crépuscule.

— Il n'a toujours pas compris, murmura Gino.

— Détrompez-vous, répliqua Alex.

Le vétérinaire arriva une heure plus tard pour trouver Rinaldo et Brutus en train de l'attendre, assis sous les arbres de l'allée. Alex et Gino les rejoignirent aussitôt.

— Je peux donner à Brutus des comprimés qui le maintiendraient en vie quelques semaines de plus, mais ce serait très pénible pour lui, déclarait le vétérinaire.

Rinaldo eut un haussement d'épaules fataliste.

— Dans ce cas, il n'y a plus à hésiter. Allons dans la grange.

— Veux-tu que nous venions ? suggéra Gino.

— C'est inutile.

Dix minutes plus tard, le vétérinaire repartait. Peu après, quand Rinaldo émergea de la grange, son visage ne révélait rien de ce qu'il ressentait, mais il ferma la porte à clé et s'enfonça dans le petit bois qui jouxtait la maison, les mains dans les poches.

Lorsqu'il revint, une heure plus tard, il refusa de dîner et s'enferma dans son bureau sans adresser la parole à quiconque.

Après le dîner, Gino alla voir son frère et revint presque aussitôt en arborant une mine lugubre.

— Il ne voit pas l'utilité de ressasser un problème qui est réglé et m'a demandé de ne pas le déranger quand il s'occupe de la comptabilité.

— S'occuper de comptabilité est la preuve qu'on n'a pas de cœur, d'après lui.

— C'est vrai qu'il n'a pas de cœur.

Rinaldo n'avait toujours pas réapparu quand Alex monta dans sa chambre. Une fois couchée, elle chercha le sommeil en vain. Incapable de rester allongée à ruminer les événements de la journée, elle finit par se lever et contempla le paysage nocturne que la pleine lune teintait d'une lumière argentée.

Soudain, elle se figea en discernant un mouvement sous les arbres. Quelqu'un avançait en cherchant à se cacher de la maison.

Sans perdre une seconde, elle enfila son peignoir et sortit dans le couloir pour aller frapper à la porte de la chambre de Rinaldo. Comme elle n'obtenait aucune réponse, elle recommença plus fort mais sans plus de succès.

Indécise, elle écouta le silence de la grande maison. Fallait-il réveiller Rinaldo pour quelque chose qui n'en valait peut-être pas la peine ? Elle entendait déjà les sarcasmes dont il ne manquerait pas de l'abreuver.

Après une courte hésitation, elle descendit l'escalier et se glissa dehors par la porte de derrière. La même silhouette se profilait sous les arbres et un bruit sourd et régulier lui parvenait.

Avançant sans un bruit, elle approcha sans se faire remarquer et pila net en débouchant sur une petite clairière.

L'homme qui creusait un trou dans la clairière ne tenait sûrement pas à être surpris. Surtout par elle.

A chaque pelletée, un éclat argenté trouait le clair-obscur. La lune accompagnait chacun des mouvements de Rinaldo, éclairant son torse nu luisant de sueur. Les mâchoires serrées, il se concentrait sur sa tâche avec une détermination presque effrayante.

Lorsqu'il eut fini, il s'appuya quelques instants sur la pelle, les épaules basses, la tête penchée. Puis il se redressa pour se pencher vers une masse inerte posée à ses pieds.

Alex retint son souffle quand elle reconnut le corps de Brutus. Rinaldo le souleva avec d'infinies précautions et le serra contre lui dans un geste convulsif comme s'il ne parvenait pas à se résoudre à la séparation définitive. Et lorsqu'il se baissa pour le mettre en terre, elle crut déceler une trace d'humidité sur son visage.

— Pardonne-moi, Brutus ! Pardonne-moi !

Jamais Alex n'aurait cru pouvoir entendre cet homme inflexible prononcer ces paroles.

Il se laissa tomber à genoux et disparut de la vue d'Alex.

La jeune femme rebroussa chemin lentement pour ne pas éveiller l'attention de Rinaldo. Force lui fut de s'avouer qu'elle ne le connaissait pas. Ou, du moins, qu'elle ne connaissait que ce qu'il voulait bien laisser entrevoir de sa personnalité. Le chagrin dont elle venait d'être le témoin lui révélait un autre homme, un homme sensible mais fier qui garderait sa souffrance au plus profond de lui sans la laisser deviner à personne.

A son grand soulagement, personne ne la vit se glisser dans la maison. Si elle avait croisé Gino à cet instant, elle n'aurait su que dire.

Une fois dans sa chambre, elle se posta devant la fenêtre pour guetter le retour de Rinaldo. Après une attente interminable, il émergea enfin des arbres, la tête basse, les épaules ramassées, comme un homme terrassé. Il traversa la cour puis s'évanouit dans la nuit.

*
* *

Le lendemain, au petit déjeuner, les traits tirés et les cernes qui soulignaient les yeux de Rinaldo prouvaient qu'il avait passé une nuit blanche. Son visage était livide sous son hâle et sa bouche arborait le même pli crispé qu'à l'enterrement de son père.

Malgré son envie, Alex n'essaya pas de lui témoigner sa sollicitude, certaine qu'il repousserait toute tentative de réconfort.

Au lieu de s'asseoir à table, il but son café debout en grignotant un morceau de pain, comme s'il lui tardait d'être ailleurs.

Gino fit brusquement irruption dans la cuisine.

— Je reviens de la grange. Brutus a disparu !

— Et alors ? dit Rinaldo.

— J'aurais aimé qu'on l'enterre en bonne et due forme.

— A quoi bon ?

— Comment peux-tu poser la question alors que tu étais si proche de lui ?

— Ce n'était qu'un chien…

— Mais…

— Je m'en suis déjà débarrassé.

— Débarrassé ! Il s'agit de Brutus, bon sang ! Ton chien ! Comment peux-tu être aussi dur ?

— Il est mort, et on n'y changera rien.

— Et tu l'as jeté, sans même l'enterrer, sans…

— Il serait temps que tu cesses d'être aussi sentimental et que tu te comportes comme un adulte.

Posant sa tasse d'un geste brusque, Rinaldo disparut sans laisser à son frère le temps de répondre.

Gino se passa la main dans les cheveux avec indignation.

— Quand je pense qu'il adorait ce chien ! Il a vraiment une curieuse façon d'aimer.

— Chacun a sa manière d'exprimer ses sentiments.

— A supposer qu'on en éprouve et je doute que mon frère en soit capable. Brutus est mort, exit Brutus ! Aucune réaction, même pas une larme pour dire adieu à cette pauvre bête qui le suivait comme son ombre.

— Vous n'étiez pas là quand Brutus a été piqué.

— J'ai vu son visage en sortant de la grange. Il n'exprimait rien.

— Cela ne signifie pas grand-chose. Rinaldo n'est pas homme à faire étalage de ce qu'il ressent.

— Il pense surtout que c'est une faiblesse et se l'interdit formellement.

Agacée par tant d'aveuglement, Alex s'écria :

— Si c'est vraiment ce que vous croyez, vous connaissez votre frère moins bien que vous ne le pensez.

— D'où tirez-vous cette certitude ? De cette satanée intuition féminine ?

— Si vous continuez à dire n'importe quoi, je vous renverse la cafetière sur la tête !

A ces mots, Gino se dérida, mais il battit en retraite pour se mettre hors de sa portée.

— Si cela peut vous faire plaisir, je retire ce que je viens de dire. Mais je connais Rinaldo mieux que vous, croyez-moi.

Peut-être, concéda Alex en son for intérieur, mais elle commençait à le comprendre comme personne. En revanche, elle ne pouvait révéler à Gino la scène dont elle avait été témoin durant la nuit. Le secret appartenait à Rinaldo et c'était à lui de le révéler.

7.

Frustrée, elle se rendit dans le jardin. Ses pas la menèrent spontanément vers la grange où elle trouva Rinaldo.

— Si vous venez vous aussi pour me déclarer que je suis un monstre sans cœur, vous pouvez garder votre salive, dit-il d'un ton agressif.

— Après ce que j'ai vu cette nuit, ce serait difficile.

Il lui jeta un coup d'œil perçant.

— Que voulez-vous dire ?

— Je vous ai vu enterrer Brutus.

Il se figea une brève seconde puis déclara d'un ton sec :

— Vous avez rêvé !

— Vous avez creusé une tombe pour y déposer Brutus. J'ai tout vu, Rinaldo.

— Vous avez vraiment une imagination délirante. Entre Gino et vous, me voilà bien loti.

Devant cet entêtement, une bouffée de colère envahit Alex.

— Puisque vous le prenez comme ça, je vais tout raconter à Gino. On verra bien s'il me traite de folle, lui aussi.

Furieuse, elle tourna les talons. D'un bond, Rinaldo lui barra la sortie. Ses mains s'abattirent sur ses épaules avec force.

— Je vous interdis d'aller trouver mon frère !

— Alors, avouez que je dis vrai. La mort de Brutus vous bouleverse, pourquoi le nier ?

— Cela ne regarde personne.

— Gino est votre frère, enfin ! Il vous aime et souffre de voir que vous refusez de vous confier à lui.

— Je ne lui demande rien. A vous non plus, d'ailleurs !

— Maintenant que Brutus est mort, qui va devenir votre confident ? Avec qui allez-vous partager vos sentiments ?

— Un chien a l'avantage de ne pas parler et de rester à sa place. Pourquoi passez-vous votre temps à vous mêler de ce qui ne vous regarde pas ?

— C'est vous qui m'avez obligée à venir, je vous le rappelle.

— Je regrette cette décision tous les jours.

— Vous vouliez que j'apprenne à connaître Belluna. C'est exactement ce à quoi je m'applique et c'est très instructif. J'ai découvert notamment à quel point les apparences sont trompeuses.

— A quel sujet ?

— Vous, par exemple. Vous vous donnez un mal fou pour présenter une image qui ne correspond pas à l'homme que vous êtes réellement. Cela m'intrigue, forcément, et je m'interroge sur vos motivations.

— Cela me préserve des curieux et des importuns.

— Ne me dites pas que vous classez Gino dans cette catégorie. Pourtant, vous vous cachez de lui aussi. Mis à part Brutus, vous ne laissez personne vous approcher, or il est mort, à présent.

Les mains qui emprisonnaient les épaules d'Alex se crispèrent.

— Laissez-moi tranquille, bon sang ! C'est du harcèlement.

Alex reprit d'un ton radouci :

100

— Je sais bien que je me mêle de ce qui ne me regarde pas, mais c'est plus fort que moi. Je suis incapable de rester indifférente à mon entourage.

— Eh bien, vous avez atteint la limite à ne pas dépasser. Restez de votre côté et laissez-nous nous débrouiller avec notre vie.

Rinaldo tremblait de tous ses membres. Son corps tout entier était parcouru de secousses que Alex percevait à travers les paumes qui reposaient sur ses épaules.

D'un geste léger, elle lui posa la main sur le bras.

— Ne rentrez pas dans votre coquille, Rinaldo. Laissez-moi vous aider.

— Je n'ai pas besoin de votre aide.

— C'est faux ! Après ce que j'ai vu cette nuit, je sais à quel point vous êtes seul et combien vous en souffrez.

Consciente d'aborder un terrain dangereux, Alex crut un instant qu'il allait sortir de ses gonds.

Contre toute attente, il soupira et toute trace de colère se dissipa sur son visage.

— Comment pourriez-vous m'aider ?

— Vous m'en croyez incapable parce que je suis à l'origine de vos problèmes, c'est ça ?

Cette déclaration brutale ébranla sérieusement Rinaldo. Son regard prit une expression hagarde, puis il s'aperçut qu'il la tenait toujours et laissa retomber ses mains.

Il semblait si malheureux que Alex eut mal pour lui. A cet instant, elle souhaita plus que tout être en mesure de le soulager. Pour lui. Pour elle aussi.

Il s'assit sur une botte de paille en s'adossant contre un pilier, les bras ballants, anéanti, comme s'il avait perdu toute volonté de lutter.

— Vous n'êtes responsable de rien. Au début, je l'ai cru, mais je me trompais.

Très pâle, il prit une grande inspiration avant de poursuivre :

— En fait, tout est la faute de mon père. Je l'admirais et j'avais entière confiance en lui et pourtant il ne m'a pas prévenu, pas mis en garde…

Laissant sa phrase en suspens, il eut un geste vague. Ses yeux reflétaient une sorte de résignation empreinte de désespoir.

— C'est ça qui fait le plus mal, n'est-ce pas ? murmura Alex.

— Oui. Chaque soir, nous faisions le bilan de la journée. Nous discutions souvent jusque tard dans la nuit. Je croyais que nous formions une équipe, alors qu'en fait, il ne me faisait pas assez confiance pour m'avouer la vérité.

— Je suis sûre que ce n'est pas ça.

— Comment pourriez-vous le savoir ?

— Je le devine. A force d'entendre parler de lui, j'ai l'impression de le connaître. C'était un homme bon et généreux, doté d'un tempérament naturellement optimiste. Toutes ces qualités devaient faire de lui un homme merveilleux et un père exceptionnel mais sans doute pas un excellent gestionnaire.

— Certes.

— En revanche, vous possédez l'esprit pratique d'un homme de terrain. Je suppose que vous l'avez sauvé de l'abîme plus d'une fois.

— En effet. Il avait tendance à échafauder des projets insensés et irréalisables. Malheureusement, il n'a jamais tiré aucun enseignement de ses échecs.

— Les gens comme lui n'apprennent jamais. Ils s'imaginent toujours qu'ils réussiront la fois suivante. En fait, je pense qu'il se reposait entièrement sur vous et qu'il vous craignait même un peu.

— C'est ridicule ! Comment mon propre père…

Rinaldo se tut brusquement. Une expression étrange et lointaine se peignit sur son visage, comme s'il percevait soudain un écho lointain.

— Vous avez peut-être raison, reconnut-il enfin.

— Vous m'avez dit que l'argent de l'hypothèque lui a permis de redonner un nouveau souffle à Belluna.

— Plus que ça. Mon père a tout placé dans la propriété et cet investissement nous a permis de faire un énorme bond en avant.

— Voilà qui explique pourquoi il a gardé le secret. Pour une fois, il a dû avoir le sentiment de bien faire, de ne pas se tromper et de vous tirer d'affaire en vous épargnant de nouvelles difficultés. Il attendait sans doute avec impatience de vous révéler l'origine de cet argent pour vous faire la surprise, un peu comme un enfant qui veut faire plaisir à un adulte.

Cette explication laissa Rinaldo abasourdi. Après un long silence, il déclara d'une voix sourde :

— Vous avez raison. Il fonctionnait exactement de cette façon. Je l'entends presque m'annoncer la nouvelle.

— Ce n'est pas sa faute si les choses ont mal tourné. Il ne pouvait deviner qu'il mourrait prématurément. Et puis, cela devait froisser son orgueil d'être aussi dépendant de vous. Il voulait certainement que vous l'admiriez.

Rinaldo hocha lentement la tête.

— Tout ceci paraît très convaincant. Si seulement, je pouvais me rappeler…

— Vous rappeler quoi ?

— Quelque chose… Un détail qui me permettrait de comprendre ce qu'il avait en tête. Il y a quelque chose, j'en suis certain. Je le sens, tout proche, mais quand je suis sur le point de le saisir, cela s'évanouit. La nuit, j'en rêve, mais à mon réveil, tout s'efface. Peut-être s'agit-il d'une fausse impression, d'une pure invention de ma part, je ne sais pas.

— Si ce souvenir existe, il reviendra. Pas maintenant, parce que tout est trop confus dans votre tête, mais quand vous vous sentirez mieux.

Il eut un sourire triste.

— J'ai oublié ce que c'est que d'aller bien.

Alex baissa les yeux vers ses mains qu'il serrait l'une contre l'autre. Elles étaient grandes et capables, pourtant, à cet instant, elles semblaient impuissantes.

— Vous portez les fardeaux de tout le monde, Rinaldo.

Quand il ne répondit pas, elle crut être allée trop loin encore une fois. Mais dans son regard, elle ne lut qu'une interrogation muette, comme s'il s'efforçait de la cerner, elle.

A cet instant, la voix de Gino retentit à l'extérieur.

— Où êtes-vous ?

Rinaldo posa un doigt sur ses lèvres en secouant la tête et se hâta de sortir avant que son frère puisse entrer.

— Je m'apprêtais à te rejoindre, répondit-il. Nous avons une rude journée devant nous.

Les voix des deux frères s'éloignèrent. Lorsque Alex sortit de la grange, quelques minutes plus tard, tout était calme.

De retour à la maison, elle téléphona à David et tomba sur son répondeur. Ils s'étaient appelés à plusieurs reprises depuis son arrivée à Belluna. Chaque fois, elle se désolait d'être aussi longue mais il l'encourageait à rester aussi longtemps que nécessaire.

Lorsqu'elle raccrochait, Alex se sentait toujours vaguement coupable devant tant de compréhension. Elle avait l'impression d'abuser de la patience de David dans un but égoïste.

Le 19 juin, à l'occasion de la St. Romuald, toute la région était en fête et un grand défilé avait lieu dans les rues de Florence.

— Après le défilé, tout le monde danse, expliqua Gino, mais je ne danserai qu'avec vous et j'espère que vous ne danserez qu'avec moi.

— Cela me paraît difficile, fit observer Rinaldo avec un demi sourire. Montelli et ses congénères seront là et il faudra bien que Alex fournisse quelques efforts pour les tenir en haleine, n'est-ce pas ?

— Bien entendu, répliqua la jeune femme en riant.

— Vous n'avez pas besoin des autres puisque nous sommes là, s'écria Gino en l'enlaçant et se penchant sur elle comme pour l'embrasser.

Alex esquiva le baiser.

— Désolée, mais j'aime la variété. Maintenant, lâchez-moi au lieu de faire le pitre.

Le jour dit, Alex passa plus de temps qu'elle n'en avait l'intention à choisir une tenue. Après avoir essayé toute sa garde-robe, elle tomba en arrêt devant une robe dont le décolleté plongeant et la teinte rouge écarlate mettait son hâle en valeur.

En fin d'après-midi, toute la région convergea vers Florence. L'un des ouvriers emmena Teresa et ses nièces dans la vieille voiture de Rinaldo, Alex ayant proposé de conduire les deux frères.

Mais au moment de monter en voiture, la jeune femme tendit les clés à Rinaldo.

— Je suis sûre que vous préférez prendre le volant.

— Méfiez-vous, Alex. Si vous laissez un homme conduire votre voiture, on risque de vous prendre pour une femme soumise aux mœurs d'un autre âge.

— Ceux qui me connaissent ne risquent pas de commettre une erreur pareille. J'ai surtout du mal à m'habituer à la conduite à droite.

— Les Anglais conduisent du mauvais côté, c'est vrai.

Ignorant la provocation, Alex insista.

— Il est plus sûr que vous preniez le volant.

Cette fois, Rinaldo s'esclaffa.

— Je n'en crois pas mes oreilles !

— Oh, montez donc et conduisez en silence !

Un large sourire aux lèvres, Rinaldo s'exécuta sans plus se faire prier.

Pour l'occasion, il portait une chemise d'un blanc éclatant et un pantalon de toile sombre bien coupé. Rien que de très simple et pourtant il émanait de lui une élégance naturelle qui n'avait rien à envier à celle de son frère.

Malgré leur ressemblance, d'ailleurs, la séduction qu'exerçaient les deux frères était de nature différente. Celle de Gino, pour être incontestable, appartenait au genre conventionnel du charmeur insouciant doté d'un physique avantageux. Et si celle de Rinaldo devait également à son physique, elle tenait surtout à la virilité indomptée qui émanait de lui, à la subtile alchimie de puissance, de sensualité et de sensibilité que l'on percevait sous le caractère impétueux et entier.

Dans la vieille cité, l'atmosphère était déjà très animée. Des gens dansaient dans la rue, vêtus de costumes variés et parfois invraisemblables évoquant des figures mythologiques, des saints ou des démons, des sorciers ou des clowns.

A plusieurs reprises, des inconnus enlacèrent Alex pour l'entraîner dans une danse impromptue dont Gino la sauva chaque fois.

Rinaldo les abandonna presque tout de suite, mais ils le retrouvèrent au bout d'une demi-heure en grande conversation avec un homme à la mine grave.

— C'est le directeur de la banque, murmura Gino à la jeune femme.

— Rinaldo parle affaires au milieu d'une fête ?

— C'est plus fort que lui. N'oubliez pas qu'il est obsédé par la propriété.

— Il est peut-être en train d'hypothéquer le reste pour pouvoir me rembourser au plus vite.

— J'espère que non, s'exclama Gino, horrifié. S'il vous dédommageait, vous partiriez et je n'y tiens pas. Vous non plus, j'espère.

Alex ne répondit pas. Elle ne le pouvait pas.

Une foule dense se pressait sur la place de l'Ours. Gino acheta des gâteaux à l'une des buvettes puis ils déambulèrent dans les rues, insouciants et ravis comme deux enfants.

Des lampions multicolores succédèrent à la lumière du jour. On installa des tables sur la chaussée et un orchestre se mit à jouer.

En arrivant sur la Piazza della Signoria, Alex et Gino tombèrent de nouveau sur Rinaldo qui en avait manifestement fini avec le banquier. Assis, seul, à la table d'un café, il contemplait d'un air morose un verre de vin blanc posé devant lui.

— Salut, grand frère ! s'exclama Gino en s'asseyant devant lui. Tu ne sembles pas t'amuser beaucoup !

— Tout le monde n'a pas besoin d'afficher un air stupidement béat pour s'amuser. Le défilé ne devrait pas tarder à commencer.

En effet, on entendait les accents lointains d'une fanfare. Un cri enthousiaste s'éleva de la foule lorsque le premier char apparut. Alex se concentra sur le spectacle, bien décidée à ne pas en perdre une miette.

Bien qu'il s'agisse à l'origine d'une fête religieuse, les thèmes des chars lui semblèrent tout à fait païens. Certains étaient même franchement paillards, voire obscènes. L'un d'eux surprit particulièrement la jeune femme : à sa tête se tenait un immense personnage dont la tête de chèvre se singularisait par des yeux flamboyants. Il s'agissait à l'évidence d'une représentation symbolique du diable et de la sexualité sous son aspect le plus débridé.

— Les chars sont vraiment stupéfiants, s'exclama-t-elle. Celui qui montre un boulanger avec cet énorme pain est-il aussi osé qu'il le paraît ?

— Bien sûr ! répliqua Gino en riant. Plus c'est grossier, mieux c'est. C'est pour ça que nous aimons fêter la St. Romuald.

— Je n'ai jamais entendu parler de lui.

— Il n'est pas très connu, expliqua Rinaldo. Il a vécu il y a à peu près mille ans et a mené une vie de débauche avant de s'amender pour devenir moine et fonder un monastère dans la région.

— Mais jusqu'à la fin de ses jours, il a continué à subir les assauts de la tentation, enchaîna Gino. D'où les thèmes licencieux du défilé. Pour un char qui représente le saint, on en voit dix qui évoquent la débauche et, tout compte fait, cette proportion est assez juste.

Cette conclusion fit rire Alex.

— C'est curieux pour une fête religieuse, non ?

— Parfaitement logique, au contraire. Les gens cèdent aux plaisirs de la chair et, ensuite, ils vont à la messe et se confessent. Il est même quasiment obligatoire de pécher sinon le repentir ne serait pas sincère et ce serait un sacrilège.

— Voilà une philosophie très commode, dites-moi.

— Elle m'a été transmise par mon père qui prétendait qu'elle venait de nos aïeux, mais je pense qu'il s'agit d'une pure invention de sa part.

Rinaldo acquiesça.

— Cela ne m'étonnerait pas.

Alex partit d'un grand éclat de rire en désignant un char qui venait d'apparaître.

— Regardez celui-là ! Qu'est-ce que cela peut bien représenter ?

Une superbe jeune femme à la longue chevelure blonde ceinte d'une couronne de fleurs était assise sur un trône. Derrière elle se tenait un guerrier vêtu d'une armure étincelante. Deux autres hommes étaient couchés aux pieds de la jeune femme et l'un d'eux agrippait tant bien que mal un jeune cochon qui se débattait comme un beau diable en poussant des cris suraigus.

Au moment où de char passait devant leur table, le cochon s'échappa et sauta à terre. Alex bondit juste à temps pour l'attraper et le rendit à son geôlier qui le remercia en clamant :

— Merci à toi, belle Circé.

— Pourquoi m'a-t-il appelé ainsi ? demanda-t-elle en reprenant sa place.

— La femme du char représente Circé, la sorcière, expliqua Rinaldo. Elle séduisait les hommes pour les attirer dans sa grotte et les métamorphosait en cochons.

— Ah ! Je comprends mieux.

— Ce n'était pas seulement une sorcière, objecta Gino. Elle avait aussi des pouvoirs guérisseurs. D'après la légende, elle était experte en herbes médicinales et en potions. L'homme qui se tient derrière elle est Ulysse qui a réduit ses pouvoirs maléfiques à néant par la force de son amour.

Rinaldo secoua la tête avec force.

— Pas du tout. Il a cru l'avoir conquise, mais c'était une ensorceleuse qui aveuglait les hommes jusqu'à leur faire perdre la tête. Ulysse rentrait sur son île natale après avoir guerroyé pendant dix ans pour la conquête de Troie, mais en rencontrant Circé il a tout oublié pour rester avec elle pendant un an. Dans cette histoire, il est difficile de savoir lequel est la dupe de l'autre.

Alex esquissa un sourire taquin.

— Une femme qui se débrouille pour qu'un homme lui attribue la première place dans sa vie… C'est vraiment le monde à l'envers ! Ne prenez donc pas tout au sérieux, Rinaldo. C'est la fête ! Détendez-vous un peu.

Soudain, trois jeunes femmes vêtues de robes ultralégères se précipitèrent sur Gino pour l'entraîner dans le tourbillon de la foule.

Juste avant de disparaître, il se tourna vers Alex et Rinaldo en leur adressant un haussement d'épaules impuissant du plus haut comique.

— Mon frère a beaucoup de succès, fit remarquer Rinaldo, mais il est davantage chassé que chasseur.

— Ne vous sentez pas obligé de le justifier. Je ne suis pas mécontente de rester assise.

— Je vais vous commander un verre de vin.

— Pas d'alcool, je vous remercie.

— Vous préférez de l'eau minérale ?

— Pour être franche, je préférerais une tasse de thé.

Aussitôt, Rinaldo fit signe à un serveur à qui il adressa quelques mots en lui glissant un billet. Le serveur acquiesça d'un air étonné avant de s'éloigner à la hâte.

— Ne me dites pas que vous avez réussi à commander une tasse de thé au beau milieu d'une fête où tout le monde boit du vin ?

— Nous verrons bien.

Quelques minutes plus tard, le thé arriva et Alex le savoura avec délectation.

— C'est un régal ! Merci.

Soudain ses yeux s'écarquillèrent avec horreur.

— Oh zut ! Voilà Montelli ! Il nous a repérés.

— Voulez-vous que je vous laisse pour parler avec lui ?

— Sûrement pas. Je compte sur vous pour me débarrasser de lui.

110

— Voilà qui confirme ma sinistre réputation. Savez-vous que le bruit court dans la région que je vous garde prisonnière.

— C'était votre intention au départ, avouez ! riposta Alex d'un ton taquin.

— Ah bon ? Je ne m'en souviens pas.

Malgré la moue amusée qui accompagnait cette réponse, une pointe d'embarras perçait dans la voix de Rinaldo.

Montelli approcha avec un large sourire qui ne masquait pas une certaine anxiété.

— Quel plaisir de vous voir, *signorina* ! Il est si difficile de vous joindre depuis quelque temps.

— Que voulez-vous ! La région est tellement belle qu'elle accapare mon attention.

— Il est vrai que l'Italie est un lieu de vacances idéal, mais j'imagine que vous ne pouvez pas vous y éterniser.

— Cela poserait-il un problème si je décidais de rester ?

A cette allusion qui laissait entendre qu'elle ne vendrait peut-être pas, le sourire faux de Montelli perdit de son éclat.

— Nous serions tous ravis, bien sûr. Mais... vous buvez du thé ? Cet homme est-il si pingre qu'il ne peut pas vous offrir du vin ?

— Très pingre, assura Rinaldo qui semblait boire du petit lait.

— Laissez-moi vous emmener ailleurs pour vous offrir du champagne, *signorina*.

Joignant le geste à la parole, Montelli saisit Alex par le poignet. La seconde suivante, il poussa un hurlement lorsque le thé brûlant atterrit sur son pantalon.

— Je suis navrée, déclara Alex d'un air faussement confus. Je ne comprends pas comment cela a pu arriver.

Le regard accusateur de Montelli prouvait qu'il n'était pas dupe de ce mensonge, mais, par prudence, il s'abstint de tout commentaire et s'éclipsa sans plus s'attarder.

Alex se tourna vers Rinaldo avec indignation.

— Pourquoi n'êtes-vous pas venu à mon secours ?

— Vous vous défendez très bien toute seule. Vous jouez l'innocence à la perfection. Bravo !

— C'était un accident.

— Je n'en doute pas. Il m'est arrivé souvent de provoquer des accidents de ce genre…

— Cela ne m'étonne pas.

Dès la fin du défilé, la foule prit de nouveau possession de la chaussée. Au loin, ils aperçurent Gino avec une couronne de fleurs sur la tête qui dansait avec ses trois partenaires à la fois.

Alex pouffa.

— A mon avis, il s'assure qu'il ne commettra pas de sacrilège la prochaine fois qu'il se rendra à l'église.

— Voulez-vous que j'aille le chercher ?

— Pourquoi ça ? Il est libre de ses actes, non ?

Rinaldo la dévisagea d'un regard perçant.

— Vous aussi, vous vous sentez plutôt libre, si j'en crois votre comportement avec mon frère. Vous avez beau être fiancée, vous passez beaucoup de temps avec lui.

— Parce que vous le lui demandez. Au lieu de lui donner des ordres, vous feriez mieux de le laisser papillonner à sa guise.

A cet instant, un couple de danseurs faillit renverser leur table.

— L'endroit n'est pas sûr, décréta Rinaldo. Si vous avez terminé votre thé, nous ferions mieux de partir.

Ils quittèrent la place surpeuplée pour s'enfoncer dans les petites rues qui descendaient vers le fleuve où soufflait une brise fraîche.

Au bord de l'Arno, Alex aperçut le reflet pâle, presque fantomatique, que lui renvoyaient les eaux noires et lisses. Elle eut l'impression de voir comme l'écho d'une autre personne, une femme qu'elle aurait pu devenir, pouvait encore devenir, peut-être...

— A quoi pensez-vous ? demanda Rinaldo brusquement.

— Je m'interroge sur moi-même.

— Moi aussi, figurez-vous. Vous n'êtes pas celle que j'ai cru au premier abord.

— Cela ne m'étonne pas. Un tel monstre de cynisme n'existe pas.

Il acquiesça avec un léger sourire.

— Je ne vous ai jamais remerciée.

— De quoi ?

— D'avoir tenu compagnie à Brutus lors de sa dernière matinée, d'avoir compris ce que je refusais de voir... J'aurais dû le faire piquer il y a des semaines, mais je n'ai pas pu admettre la vérité parce que l'idée de me séparer de lui m'était insupportable.

— Est-ce pour cette raison que vous lui avez demandé pardon ?

Rinaldo répliqua d'une voix étouffée :

— Oui.

— C'était le chien de votre femme, c'est ça ?

Un sourire nostalgique fleurit sur les lèvres de Rinaldo.

— Le jour de notre mariage, Maria est arrivée à l'église avec Brutus dans les bras et l'a gardé pendant toute la cérémonie. Elle m'a déclaré que c'était le début de notre famille, que nous aurions une ribambelle d'enfants et de chiens, mais le sort en a décidé autrement.

Le cœur serré, Alex considéra cet homme que les épreuves n'avaient pas épargné. Ceux qu'il aimait lui avaient tous été enlevés l'un après l'autre. Il ne lui restait plus que Gino, mais, malgré l'affection qui liait les deux frères, leurs caractères diamétralement opposés créaient entre eux une distance inévitable.

D'un geste impulsif, elle lui posa une main sur le bras.

— Vous devez vous sentir très seul.

Il la considéra longuement puis baissa les yeux sur sa main qui lui enserrait le bras. Un étrange sourire se dessina sur ses lèvres puis son visage se ferma comme s'il lui claquait une porte au nez. Elle sut alors qu'elle venait de commettre une erreur.

D'un geste sec, il repoussa sa main.

— Je ne me sens pas seul du tout.

Alex se mordit la lèvre, furieuse de sa maladresse. Elle aurait dû se douter qu'un homme aussi complexe refuserait sa sympathie, qu'il se réfugierait de nouveau dans la méfiance.

Durant le silence embarrassé qui suivit, elle devina le malaise qui s'emparait de lui au souvenir des confidences auxquelles il s'était livré. Il se reprochait d'avoir baissé sa garde, d'avoir oublié qu'elle était synonyme de danger.

Elle cherchait quoi dire pour se rattraper, lorsqu'il se détourna d'un mouvement brusque et rebroussa chemin le long de la rue étroite.

— Allons chercher Gino ! proposa-t-il par-dessus son épaule.

Furieuse, Alex s'exclama :

— Gino n'a pas besoin de nous, surtout pas de moi.

— Raison pour laquelle vous passez votre temps avec lui. Je me demande ce que vous allez raconter à votre fiancé à votre retour.

— Rien, pour la bonne raison qu'il n'y a rien à dire.

— Si vous étiez ma fiancée, j'aimerais savoir si vous flirtez avec un autre homme.

— Si tel était le cas, je doute que vous en ayez vraiment envie.

— Que si ! Et votre galant aurait droit à une intervention musclée.

Le jeu allait trop loin, Alex le savait. Pourtant, un démon intérieur la poussa à le poursuivre.

— Cela m'étonnerait.

Elle n'eut pas plus tôt répliqué que le bras de Rinaldo lui barra le chemin. Doucement mais fermement, il la poussa contre un mur.

— Je ne suis plus un gamin, Alex, alors n'essayez pas de m'aguicher en me provoquant. Je ne suis pas né de la dernière pluie et je vois clair dans votre jeu.

— Je vous renvoie le compliment ! Depuis le premier jour, vous avez essayé d'endormir ma méfiance en ordonnant à Gino

115

de me faire du charme ! Vous me prenez vraiment pour une idiote. Maintenant, écartez-vous et laissez-moi !

Elle voulut repousser le bras qui la retenait prisonnière, mais se heurta à des muscles d'acier.

— Pas encore. Nous avons encore certaines choses à éclaircir.

Cette voix profonde et vibrante enflamma les sens d'Alex. Elle eut beau s'exhorter au calme, le corps puissant qui frôlait le sien lui communiquait sa chaleur, exaltait la sourde excitation qui s'emparait d'elle.

— Je ne vois pas quoi.

— Pourtant, vous avez joué très finement ce soir.

— Comment ça ?

— Un zest de compassion par-ci, une pointe de gentillesse par-là… Vous vous êtes amusée à caresser la brute épaisse dans le sens du poil et vous avez presque réussi à me faire fondre. Sans votre dernier faux pas, vous auriez été parfaite. Vous éprouvez le besoin d'ensorceler tous les hommes qui ont le malheur de croiser votre chemin, comme Circé. Votre fiancé londonien étanche votre soif d'ambition ; Gino flatte votre vanité. Et moi, que suis-je censé satisfaire ?

Ces paroles agirent sur Alex comme un électrochoc. La réponse à cette question s'imposa avec une aveuglante certitude. Rinaldo comblerait un besoin profond, primitif, vital, enfoui en elle depuis le début de leur rencontre mais qu'elle venait seulement d'identifier. Lui seul pourrait assouvir la faim presque douloureuse qui montait du plus intime de son être, lui seul saurait apaiser son corps assoiffé de désir, lui seul parviendrait à donner un sens aux émotions confuses qui l'assaillaient depuis son arrivée en Italie.

Jusqu'à quand aurait duré son aveuglement s'il ne l'avait obligée à ouvrir les yeux ?

116

En attendant, il gèlerait en enfer avant qu'elle admette qu'il avait raison.

— Vous vous flattez, mon cher. Si vous n'étiez pas aussi imbu de votre personne, vous vous seriez aperçu que je n'ai pas dit un mot devant vous qui n'aurait pu être prononcé devant Gino.

— Vous êtes trop subtile pour jouer à jeu découvert, en effet. Circé tisse sa toile patiemment, en changeant de visage auprès de chaque homme. Votre art ne sert à rien avec Gino qui ne demande qu'à tomber dans vos bras, mais j'ai bien failli tomber dans le piège.

La gorge nouée, Alex fut incapable de répondre. Une mystérieuse langueur la privait de son esprit de repartie. Mais elle tressaillit comme sous l'effet d'une brûlure lorsqu'il posa ses lèvres au creux de son cou.

Dans un geste réflexe, elle posa les mains sur les épaules de Rinaldo pour le repousser. En pure perte.

Au lieu de l'embrasser sur la bouche, il se contenta de promener les lèvres sur sa nuque, de lui effleurer le lobe de l'oreille, provoquant en elle une tempête dont la violence la terrifia.

Il la mettait en garde, comprit-elle dans un accès de lucidité. Voici ce qui l'attendait si elle ne changeait pas d'attitude. D'un baiser, il amenait ses sens à braver sa raison et sa volonté, il la mettait au défi de prendre le risque d'aller au bout du désir qu'il lui inspirait.

La tête lui tournait, son corps chavirait. Ce ne fut qu'au prix d'un effort surhumain qu'elle résista à l'envie de ployer contre ce corps puissant pour chercher d'autres caresses, plus intimes.

La brûlure de ce regard noir qui brillait d'un éclat sombre l'hypnotisait littéralement. Il la maintenait en son pouvoir sans qu'elle trouve la force de lui échapper. Le danger semblait être devenu son élément naturel. Sans qu'elle puisse les en empêcher, ses doigts se portèrent vers sa nuque qu'ils enlacèrent comme si ce geste lui était familier de toute éternité. Rinaldo déposa alors une pluie de baisers sur son visage. Oh, pas sur sa bouche, non, mais sur ses tempes, son front, ses pommettes, provoquant un nouveau déluge de sensations troublantes, suscitant un regain de désir qu'elle s'évertua à étouffer, l'obligeant à reconnaître que leur antagonisme dissimulait un autre sentiment, infiniment plus périlleux que l'hostilité.

Un groupe de fêtards passa auprès d'eux sans leur prêter attention. Dans la ville en délire, les couples enlacés étaient monnaie courante.

Rinaldo s'écarta, le souffle court, les yeux rivés sur elle. Il devinait sa réaction, songea-t-elle avec une pointe de désespoir. Impossible de lui dissimuler sa respiration haletante, ni la pulsation inquiétante qui saillait à la base de sa gorge.

— Laissez-moi ! dit-elle d'une voix blanche.

Il obéit et la relâcha enfin. Dans ses yeux brillait une flamme sombre et tourmentée dont elle ne put deviner l'origine et son visage arborait une expression d'une intensité presque effrayante.

Elle y reconnut la peur. Il était trop tard pour qu'il la gomme de son existence et il le savait.

Sans un mot, il tourna les talons. Elle attendit quelques secondes avant de lui emboîter le pas avec lenteur.

Juste avant d'atteindre la Piazza, Gino surgit devant elle, passablement éméché. Il l'étreignit avec ferveur.

— Vous voilà enfin ! Où est passé Rinaldo ? Ne me dites pas que vous vous êtes encore disputés ?

Le trajet de retour fut des plus lugubres. Rinaldo prit le volant et Alex s'installa à l'arrière avec Gino qui s'endormit aussitôt. En proie à des pensées qu'elle aurait préféré conjurer, elle plongea son regard dans la nuit noire qui les entourait.

Dès leur arrivée, elle souhaita un bref bonsoir aux deux frères et monta dans sa chambre. La solitude s'imposait pour tenter de démêler les sentiments qui l'agitaient.

La colère prédominait. Colère contre Rinaldo et colère contre elle-même pour s'être laissé surprendre.

Pourtant le désir dont elle avait pris conscience ce soir était là depuis le premier jour. Un désir brutal, qui n'avait aucun lien avec une quelconque affinité. Un désir dont la violence était étrangère à son univers bien ordonné. Un sentiment à l'existence duquel elle n'avait jamais vraiment cru et qu'elle avait toujours jugé ridicule quand on l'évoquait devant elle.

Au bout du compte, c'était elle qui était ridicule. Car Rinaldo était parvenu à ses fins et il le savait, le monstre !

Elle ferma les yeux en essayant vainement de s'accrocher à sa colère, espérant qu'elle la protégerait de la découverte qu'elle avait été vivante, vraiment vivante pour la première fois de sa vie, ce soir, entre les bras de Rinaldo.

Les poings serrés, Alex prit la résolution de résister de toutes ses forces. Il s'agissait d'une aberration temporaire qui se dissiperait dès son retour en Angleterre.

Une douche froide apaisa un peu son esprit survolté. En sortant de la salle de bains, elle se souvint brusquement que la réunion au cours de laquelle son sort en tant qu'associée devait se jouer à Londres s'était tenue le jour même. Comment avait-elle pu oublier cette date cruciale pour son avenir ?

La réunion devait être terminée depuis longtemps et David avait dû essayer de l'appeler depuis.

A sa grande surprise, il n'avait laissé aucun message. En revanche, il y en avait quatre de sa secrétaire. Pourquoi Jenny avait-elle essayé de la joindre alors que David observait le silence ? Peut-être les autres associés faisaient-ils des difficultés pour l'accepter ? Peut-être David était-il encore au cabinet, à argumenter pour s'efforcer de les convaincre ?

Inquiète, elle composa le numéro de Jenny qui décrocha aussitôt.

— Dieu merci, vous appelez enfin ! Vous êtes assise ?

— Oui, je vous écoute.

— David a annoncé ses fiançailles avec Erica, cet après-midi.

Sous le choc, Alex mit plusieurs secondes avant de répondre.

— Erica ? Qui est-ce ?

— Sa secrétaire. Personne ne connaît son nom, mais cela n'a rien d'étonnant. Elle est tellement insignifiante qu'on la confond presque avec le papier peint.

Alex se souvint d'une jeune fille pâle et maigre qu'elle avait aperçue parfois dans le bureau de David. Comment pouvait-il lui préférer cette fille incolore et sans saveur ?

— Il y a autre chose, reprit Jenny. David a mis son veto à votre candidature comme associée.

Cette fois, Alex laissa échapper un juron.

— Tout le monde pensait qu'il s'agissait d'une simple formalité, mais il s'y est opposé catégoriquement.

— Pour quelle raison ? s'entendit demander Alex d'une voix étranglée.

— D'après lui, on ne peut pas faire confiance à quelqu'un qui s'absente aussi longtemps pour des raisons personnelles.

— Ça alors ! C'est lui qui m'a encouragé à rester !

— Nous le savons tous. Il s'agit d'un prétexte, bien sûr. En revanche, il accepte que vous restiez comme employée.

— Il sait parfaitement que je refuserai.

— En effet. Il table sur votre démission. Etant donné la façon dont il vous a traitée, il ne tient pas à ce que vous restiez dans les parages.

120

— Qu'aurait-il fait si je n'avais pas été obligée de partir pour l'Italie ?

— Il aurait trouvé autre chose, mais vous lui avez facilité la tâche. Tous vos dossiers ont été confiés à d'autres personnes. Officiellement, c'est pendant votre absence, mais...

— Mais on ne me les rendra jamais, j'ai compris. Quand je pense que le cabinet a obtenu ces dossiers parce que je me suis battue pour les obtenir !

— C'est justement un des griefs que David nourrit contre vous. Vous êtes devenue une rivale et il est trop vaniteux pour supporter qu'on lui fasse de l'ombre.

Alex encaissa le coup puis se redressa.

— Merci de m'avoir prévenue, Jenny.

— Que comptez-vous faire ?

— Préparer ma revanche.

— Vous plaisantez, j'espère.

Jenny semblait sincèrement choquée.

— Pas du tout. N'oubliez pas que j'ai du sang italien. L'art du complot est inné pour nous. Vous devriez le dire à David. Cela l'empêcherait peut-être dormir pendant une ou deux nuits.

— Alex, je sais que vous êtes blessée, mais croyez-vous qu'il en vaille la peine ?

— Non. Je vous rappellerai.

Après avoir raccroché, Alex demeura longuement immobile.

A son grand étonnement, elle constata qu'elle ne souffrait pas sinon dans son orgueil. Elle s'était aveuglée sur la véritable nature de David, mais au fond d'elle-même, elle savait que c'était un être froid, égocentrique et sans scrupules quand ses intérêts étaient en jeu.

Cela n'avait eu pas d'importance parce qu'elle se croyait pareille à lui. Aujourd'hui, elle savait qu'il n'en était rien.

Un éclat de rire étouffé lui échappa. David devait préparer son coup depuis longtemps. Elle ne perdrait pas son temps à le pleurer, mais avaler l'insulte était une autre affaire.

Avisant une petite statuette d'argile, elle la lança avec violence contre le mur et se sentit libérée d'un grand poids.

— Alex, ça va ?

La voix de Gino était inquiète.

— Oui, oui.

Enfilant un peignoir à la hâte, elle ouvrit la porte et aperçut Rinaldo derrière son frère. Gino se rua à l'intérieur d'un air affolé.

— Quel était ce bruit ? Vous êtes blessée ?

La jeune femme désigna les morceaux d'argile qui gisaient sur le tapis.

— C'était simplement ça.

Alex, apaisée, se sentit soudain très lasse.

Rinaldo pénétra dans la pièce à son tour pour examiner le trou qu'avait fait la statuette dans le mur.

— Impressionnant ! Rappelez-moi de me baisser la prochaine fois que vous m'en voudrez.

— Rassurez-vous, je n'ai pas l'intention de m'en prendre à vous.

— Heureusement, sinon vous ne me rateriez pas.

— Ne me provoquez pas.

— Aviez-vous une raison précise de lancer cette statuette ou est-ce un exercice auquel vous vous livrez régulièrement ?

— Oh, il s'agissait juste d'une impulsion irrésistible.

Lorsqu'elle descendit pour le petit déjeuner, le lendemain, Gino dévorait un repas pantagruélique avec un appétit réjouissant. Au coup d'œil ironique d'Alex, il plongea la tête comme un coupable.

— Je ne danserai qu'avec vous, fredonna-t-elle.

— Je sais, je sais. Je me suis laissé entraîner.

— Par trois charmantes demoiselles, j'ai remarqué.

— Voulez-vous que je prépare le fouet pour ma punition ?

Alex se mit à rire.

— Je vais réfléchir à la question.

Il s'empara de sa main.

— Je vous adore.

— Mais non. Vous adorez vos compagnes d'hier soir. Je n'en ai vu que trois, mais cela ne m'étonnerait pas qu'il y en ait eu d'autres.

— Cela ne signifie rien. Avec tous ces démons et ces chèvres…

— Vous oubliez le vin.

— Certes, mais c'est surtout l'atmosphère qui joue. Le sentiment que tout peut arriver et que l'on ne sait pas comment la soirée finira.

Ces paroles eurent une résonance profonde chez Alex. Elle aussi avait vécu une émotion forte. Dieu merci, ce matin, elle avait recouvré ses esprits.

Gino se méprit sur la gravité de son expression.

— Je n'aurais pas dû dire ça, je suis désolé.

— Mais si, voyons ! Dans ce genre de fête, on ne reste jamais avec la personne avec laquelle on est arrivé sinon ce n'est pas drôle.

— Merci ! Vous me délivrez d'un grand poids. Une telle magnanimité ne m'étonne pas de la part de la femme de mes rêves.

— Je suis peut-être la femme de vos rêves, sauf quand il y a une fête.

— On ne pourrait pas laisser tomber le sujet ?

— Excusez-moi, mais vous me faites rire. Vous êtes tellement cabotin.

— Je me mets à nu devant vous et vous vous moquez ? Vous me brisez le cœur, déclama-t-il d'un ton grandiloquent en mettant la main sur la poitrine.

— Vous êtes un clown.

— Ne repartez pas en Angleterre, déclara-t-il tout à trac. Vous avez tellement changé depuis votre arrivée que je parie que vous ne vous reconnaissez même pas. Vous ne pouvez pas reprendre votre existence d'avant. C'est ici que vous êtes chez vous, maintenant.

Pour le détourner de cette vérité qu'il touchait du doigt, Alex répliqua d'un ton enjoué :

— Vous êtes aussi mauvais comédien que Rinaldo. Je parie que vous avez mis votre stratagème au point avant mon arrivée tous les deux et que vous avez même tiré à pile ou face pour déterminer celui qui devrait me séduire.

La mine stupéfaite de Gino révéla le pot aux roses à Alex.

— Vous avez osé tirer à pile ou face !

— Oui… euh… enfin, non… Ça ne s'est pas passé comme ça.

— Vous ne manquez pas de toupet.

— Vous êtes vexée ?

— Je devrais l'être, mais, en fait, je me réjouis que vous ayez gagné.

Gino retrouva son sourire.

— C'est Rinaldo qui a gagné, pas moi.

— Comment ça ?

— Il a prétendu que j'avais triché avec ma fausse pièce avant de conclure qu'il n'était pas intéressé et que j'avais le champ libre.

— Vous m'en direz tant !

124

Le ton d'Alex était rien moins qu'amène.

— Finalement, ce n'est pas plus mal. Vous préférez que ce soit moi plutôt que Rinaldo, non ?

— Je préfère n'importe qui à Rinaldo.

— Je suis désolé s'il a été désagréable avec vous, hier soir. — Peut-être est-ce moi qui l'ai été avec lui.

— Dans ce cas, cela explique peut-être pourquoi il est parti.

— Comment ça, parti ?

— Ce matin. D'après ce que j'ai compris, il est allé dans le Sud voir des machines agricoles d'occasion.

Au lieu de se réjouir de ce répit qui lui permettait de respirer, Alex vit rouge.

Rinaldo n'avait rien trouvé de mieux à faire que de partir en la laissant dans le brouillard le plus complet alors qu'ils devaient éclaircir la situation. Furieuse, elle se força à dissimuler sa colère devant Gino. Les réactions que Rinaldo engendrait chez elle ne le regardait pas.

En guise d'exutoire, elle alla se promener à cheval. Après un bon galop, elle se sentit déjà mieux et la beauté du paysage acheva de la calmer. Le blé avait incroyablement poussé depuis son arrivée et les olives et les raisins semblaient grossir à vue d'œil. Le soleil était si généreux dans ce pays qu'elle avait l'impression de le découvrir pour la première fois. Quelle différence avec son pâle équivalent londonien qui peinait à transpercer une grisaille omniprésente ! Ici, le soleil régnait non seulement en maître, mais s'accompagnait d'un sentiment de liberté qui lui donnait le sentiment de renaître à elle-même.

Au bout d'un certain temps, Alex parvint à mettre un peu d'ordre dans ses idées. Elle avait deux options : soit elle retournait en Angleterre pour se préparer à une belle empoignade, soit elle restait ici et devrait se bagarrer également. En revanche, quel que soit son choix, les perspectives qui s'offriraient à elle seraient diamétralement opposées. A Londres, on lui proposerait un emploi sans âme dans un cabinet quelconque. Si elle y renonçait, elle pouvait dire adieu à des années de lutte pour obtenir ce qu'il y avait de mieux : les meilleurs clients, le meilleur appartement, les meilleurs vêtements, tout serait réduit à néant.

Ici, en revanche, dans ce pays qui avait pris possession de son âme, elle pourrait voir quotidiennement cet homme impossible qui l'avait rejetée avant même de la connaître, mais qui troublait son cœur et ses sens.

— C'est ridicule ! s'exclama-t-elle. Il n'est pas question que je tombe amoureuse de lui.

Sur cette protestation, elle tourna bride et emprunta le chemin du retour en ayant moins le sentiment d'avoir pris une décision que celui de se résigner à affronter l'inévitable.

Le lendemain, elle fit ses valises et quitta la maison malgré les objections véhémentes de Gino. Une heure plus tard, elle montait dans un avion à destination de Londres.

Rinaldo revint au bout d'une semaine. Lors de ses deux premiers coups de téléphone, il était tombé sur le répondeur, mais à son troisième appel, Teresa décrocha et lui apprit qu'Alex était partie.

Le lendemain soir, il était de retour à la villa. Il trouva Gino assis à son bureau, penché sur les comptes d'un air soucieux. A cette vue, un large sourire se dessina sur ses lèvres.

— Laisse tomber, mon vieux ! Tu n'y arriveras pas.

— Rinaldo !

Gino repoussa son fauteuil pour serrer son frère dans ses bras.

— Quoi de neuf ? demanda Rinaldo.

Gino se rembrunit aussitôt.

— Alex est partie.

— Je sais. Teresa m'a mis au courant.

— C'est tout ce que tu trouves à dire ?

— Que veux-tu que je dise d'autre ? Il fallait bien qu'elle retourne un jour dans son pays.

— J'ai eu l'impression que sa vie était ici, maintenant.

— Elle s'est efforcée de te le faire croire pour endormir ta méfiance. Nous avons tous les deux failli être dupes de son jeu, mais tu ferais mieux de l'oublier.

— Alors que tu m'as quasiment conseillé de l'entraîner dans mon lit ! Tu ne manques pas de toupet.

— J'ai eu tort. Tu n'es pas de taille à lutter contre elle. Heureusement que tu n'es pas tombé sérieusement amoureux d'elle.

— Qu'en sais-tu ?

— Je te connais. Tes passions les plus ravageuses ne dépassent jamais deux jours.

Gino eut un haussement d'épaules désolé.

— A quoi bon me rappeler mes erreurs passées ? De toute façon, elle est partie.

— Dans ce cas oublie-la.

— Tu crois qu'elle aime vraiment cet homme ?

— Oublie-la, crénom d'une pipe !

Gino observa avec stupeur le visage tendu de son frère.

— Du calme ! Je ne t'ai rien fait.

— Excuse-moi, mais la route a été longue et je suis un peu fatigué.

Il avait surtout la mine d'un homme qui n'avait pas fermé l'œil depuis une semaine, nota Gino en attribuant ce phénomène à l'inquiétude que lui causait l'avenir de l'exploitation.

— Viens donc dîner. Tu me raconteras tout sur les nouvelles machines.

— Quelles machines ?

— Celles que tu es parti acheter.

— Oh, ça ! Je n'ai rien trouvé.

Tous les deux s'installèrent à la table de la cuisine où Teresa leur servit à dîner avant de se retirer.

Gino remarqua que Rinaldo mangeait machinalement, sans se soucier du contenu de son assiette.

— Qu'as-tu fait pendant ton voyage ?

— Je me suis promené à droite à gauche.

— Pendant une semaine ?

— J'ignorais que je te devais des comptes.

— Si je disparaissais pendant une semaine tu m'en demanderais.

— A juste titre, mais peu importe. Quand Alex est-elle partie ?

— Le lendemain de ton départ. Depuis, j'attends des nouvelles de son notaire, mais je n'en ai pas encore eu.

— Tu en auras quand elle le décidera. Elle s'amuse à nous laisser sur des charbons ardents.

Rinaldo s'était répété inlassablement la même chose au cours des huit derniers jours. Alex s'amusait avec eux à un petit jeu cruel et il avait eu mille fois raison de s'enfuir avant de se laisser prendre dans ses filets.

A la seconde où il avait posé les yeux sur elle, le jour de l'enterrement de son père, il avait su qu'il ne pouvait se permettre de faiblir devant cette femme. Mais, paradoxalement, il avait regretté de l'avoir « laissée » à Gino. Il fallait dire qu'il s'attendait à une sorte de dragon femelle qui ferait fuir son frère. Dès qu'il l'avait vue, il avait compris que Gino ne serait pas de taille à lui résister. Il s'agissait d'un travail d'homme, pas d'une tâche à confier à un gamin.

Leur antagonisme l'avait d'abord soulagé car il lui avait permis de prendre ses distances. C'était sans compter sur le machiavélisme de la belle. Avec quelle finesse elle lui avait offert sa sympathie ! Et il l'avait acceptée, comme un homme assoiffé après une longue traversée du désert, un homme las de toujours porter les autres. Dans la douce griserie qui s'était emparée de lui, il avait failli succomber, mais s'était ressaisi à temps, heureusement.

Il avait gagné, comme d'habitude, mais, pour la première fois, la victoire avait un goût de cendres.

— Je ne pense pas qu'elle s'amuse à nos dépens, déclara posément Gino.

— Dans ce cas, pourquoi est-elle retournée en Angleterre ?

Désemparé, Gino ne sut que dire. En contemplant le visage tourmenté de son frère, il mesura la profondeur de son propre abattement. Depuis le départ d'Alex, la vie avait perdu sa saveur.

Sans rien dire, Rinaldo alla chercher une bouteille de whisky et tous deux burent en silence jusqu'à ce que Gino demande avec une pointe d'hésitation :

— Il y a quelque chose que je voudrais savoir depuis longtemps.

— Je t'écoute.

— Le jour de la mort de papa, il était trop tard quand je suis arrivé à l'hôpital. Comme tu étais auprès de lui depuis un bon moment, je me demandais s'il avait réussi à parler.

— Non, il n'a jamais repris conscience.

— Même pas un instant ?

— Je te l'aurais dit.

— Quand on sait à quel point il était bavard, c'est vraiment dur de l'imaginer encore en vie mais incapable de parler.

En fermant les yeux, Rinaldo revit le corps pétrifié de son père, ses membres enveloppés de bandages, presque momifiés.

Comme Gino, il n'avait pu supporter qu'un homme aussi débordant de vie soit réduit à cette immobilité effrayante. Jusqu'au bout, il avait espéré qu'il ouvrirait les yeux, qu'il le reconnaîtrait, qu'il y aurait un dernier échange entre eux.

L'image se brouilla puis devint de plus en plus floue malgré ses efforts pour la conserver. Comme chaque fois qu'il évoquait ces instants douloureux, il fut assailli par le sentiment qu'un souvenir essentiel lui échappait.

Le même phénomène s'était produit avec Alex dans la grange. Sa mémoire avait semblé s'entrouvrir, mais pas assez.

Cela ne se reproduirait plus maintenant. Elle était partie et c'était mieux ainsi. Du moins s'efforçait-il de s'en persuader.

— J'aimerais pouvoir te révéler quelque chose, murmura-t-il avec lassitude. Moi aussi, j'ai du mal à me faire à l'idée qu'il est parti sans un adieu ni un mot d'explication. Malheureusement, nous ne pouvons que nous résigner à accepter cet état de choses.

Peu après, ils montèrent se coucher et un grand silence enveloppa la maison.

Deux heures plus tard, Gino s'éveilla, certain d'avoir entendu du bruit dans le hall.

Enfilant un peignoir, il se précipita hors de sa chambre et tomba nez à nez avec Rinaldo qui passait un short.

— Il y a un cambrioleur en bas.

Tous deux descendirent l'escalier sur la pointe des pieds. Un rayon de lune traversait le hall. Le reste de la pièce baignait dans la pénombre, mais ils entendirent quelqu'un remuer puis le bruit d'une chaise renversée.

Vif comme l'éclair, Rinaldo s'élança vers l'intrus et tous deux tombèrent sur le sol. Une lutte silencieuse et acharnée s'ensuivit, mais lorsque Gino alluma la lumière, les deux frères se figèrent.

— Vous ! s'exclama Rinaldo avec fureur.

Etendue sur le sol, Alex le fusilla d'un regard noir.

— Lâchez-moi !

Rinaldo obtempéra aussitôt en se relevant. Alex l'imita en s'emparant de la main que Gino lui tendait aimablement.

— Qu'est-ce que vous fabriquez ici ? s'exclama Rinaldo.

— Ça se voit, non ?

— Je savais bien que vous ne nous abandonneriez pas ! s'écria Gino, ravi.

— Il fallait que je parte pour mettre de l'ordre dans la vie, expliqua la jeune femme, mais maintenant, je reviens pour de bon.

Rinaldo la dévisagea d'un œil soupçonneux.

— Comment votre fiancé prend-il la chose ? Devons-nous nous préparer à sa venue ? Faut-il que je demande à Teresa de lui préparer une chambre ?

— Oubliez, David. C'est de l'histoire ancienne.

— Vous l'avez laissé tomber ! s'exclama Gino sans cacher son enthousiasme.

— Non, c'est lui. En rentrant de la fête, l'autre soir, j'ai appris qu'il s'était opposé à ce que je devienne un des associés du cabinet et qu'il avait annoncé ses fiançailles avec sa secrétaire. Je suis rentrée pour lui dire ses quatre vérités en face.

— Il a dû passer un mauvais quart d'heure, fit observer Rinaldo.

— Certes, mais quel bonheur pour moi ! Ensuite, j'ai demandé à mon avocat de poursuivre le cabinet pour obtenir des indemnités, j'ai mis mon appartement en vente et, une fois mes affaires en ordre, j'ai sauté dans le premier avion en partance pour Florence.

— Vous n'auriez pas pu nous prévenir de votre retour ?

— Je ne pensais pas arriver si tard, mais j'ai perdu du temps en allant chercher ma nouvelle voiture. Comme je ne voulais pas vous réveiller, je suis entrée par la fenêtre du salon, celle qui ferme mal, et me voilà ! Vous feriez bien de vous habituer à ma présence, messieurs, parce que je reste.

La voiture que Alex s'était achetée laissa les deux frères
sans voix. Le puissant véhicule mariait le luxe à la robustesse
et confirmait sans équivoque l'intention de la jeune femme de
s'installer pour de bon.

— Elle a dû te coûter les yeux de la tête, murmura Rinaldo
lorsqu'il fut remis de sa surprise.

— Plus que mes moyens me le permettent, c'est sûr, rétorqua
Alex en riant.

— Je te tire mon chapeau.

— Je vais m'en servir pour visiter Belluna de fond en comble.
Tu n'y vois pas d'inconvénient, j'espère ?

— Je n'en ai pas le droit, de toute façon.

Ce ton poli exaspéra Alex. Elle aurait mille fois préféré
une de ces reparties bourrues auxquelles Rinaldo l'avait
habituée, mais, depuis son retour, les deux frères prenaient
des gants dès qu'ils s'adressaient à elle, Gino par gentillesse
et Rinaldo par prudence. Pourtant, une relative familiarité
s'était instaurée entre eux puisqu'ils étaient naturellement
passés au tutoiement.

Jour après jour, elle passa la propriété au peigne fin. La
saison avançait et la récolte approchait. Partout, les ouvriers
agricoles lui témoignèrent un respect teinté de méfiance, mais

quand ils s'aperçurent qu'elle parlait le toscan, ils l'accueillirent comme une des leurs.

Un jour qu'elle rentrait d'une de ses pérégrinations, elle découvrit Rinaldo au bord de la route à côté de sa voiture en panne. Sa mine déconfite la fit pouffer.

Contrairement à son habitude, il était tiré à quatre épingles. Avec son costume, sa cravate et ses cheveux peignés, il ne ressemblait plus au « gentleman-farmer » qu'elle connaissait. Alex découvrait un homme infiniment séduisant dont l'autorité naturelle produisit sur elle un effet des plus troublants.

S'arrêtant sur le bas-côté, elle attendit qu'il approche sans quitter le volant.

— Si tu oses te moquer de moi, gare à toi…, bougonna-t-il.

— Loin de moi cette idée, mentit-elle en réprimant un sourire goguenard. Tu attends une dépanneuse ?

— J'ai oublié mon téléphone portable.

Les lèvres d'Alex frémirent.

— Je t'interdis de rire !

— Si tu continues sur ce ton, je t'abandonne à ton sort.

— Tu ne descendrais pas aussi bas.

Alex sortit de voiture.

— Avec un petit effort, je pourrais me forcer, mais j'ai du matériel pour te remorquer, alors ce serait dommage.

Ils sortirent l'équipement du coffre de la voiture.

— Laisse-moi faire, sinon tu risques de salir ton beau costume.

Pour toute réponse, Rinaldo enleva sa veste et sa chemise.

Fascinée par la poitrine impressionnante de son compagnon, Alex eut le plus grand mal à se concentrer sur sa tâche. Malgré elle, ses yeux revenaient sans cesse se poser sur les épaules athlétiques dont le hâle profond prouvait qu'il travaillait torsenu la plupart du temps. Elle dévorait du regard la peau lisse et brune, les muscles puissants des bras, le dos large, puis elle détournait les yeux comme devant un fruit défendu.

Elle dut cependant parvenir à donner le change puisque Rinaldo la complimenta.

— Tu es douée, dis-moi. On dirait que tu as fait ça toute ta vie.

— A force de côtoyer des hommes pétris de préjugés sur les femmes au volant, j'ai appris à me débrouiller toute seule. Les garagistes sont les pires. Ils nous prennent vraiment pour des demeurées. L'un d'eux m'a même demandé un jour de revenir avec mon mari pour qu'il lui explique de quoi il retournait.

Lorsqu'ils eurent terminé, Rinaldo se rhabilla et s'assit à côté d'elle.

— Où dois-je t'emmener ? demanda-t-elle en démarrant.

— Mon garage se trouve à quelques kilomètres. Ensuite, je dois aller à Florence pour un rendez-vous, mais je prendrai un taxi pour rentrer.

— Je peux t'attendre, si tu veux.

— Ce n'est pas nécessaire, dit-il précipitamment.

— Je vois !

— Comment ça, tu vois ?

— Tu ne tiens pas à ce que je sache où tu vas. J'imagine qu'il s'agit d'un rendez-vous secret avec une femme mystérieuse.

— Pourquoi secret ? Je suis libre, il me semble.

— Oui, mais peut-être n'est-elle pas la seule femme que tu fréquentes. Peut-être as-tu un harem entier à Florence. Ou encore…

— J'ai rendez-vous avec mon expert-comptable.

Un immense soulagement envahit Alex à l'idée qu'il ne s'agissait pas d'une femme.

— Je comprends. Tu as peur que j'insiste pour t'accompagner.

— Je me trompe ?

— Disons que je pourrais faire un saut, histoire de te faire une faveur.

Les mâchoires de Rinaldo se crispèrent.

— Tourne ici.

Malgré l'humeur bougonne de son compagnon, sa présence emplissait Alex d'un sentiment qui ressemblait fort à de la joie. Une joie irrationnelle et sûrement excessive, mais qu'elle ne put étouffer.

Après avoir déposé la voiture au garage, elle prit la direction de Florence.

— Dans quelle rue se trouve le cabinet du comptable ?

— Via Bonifacio Lupi. Il s'appelle Enrico Varsi.

— Cela te contrarierait vraiment si je t'accompagnais ?

— Tu es sérieuse ?

— Très.

— Et si je réponds par la négative ?

— Je t'attendrai gentiment dehors. Mais je mettrai de l'arsenic dans ta soupe.

Rinaldo ne répondit pas ; elle devina cependant qu'il souriait.

La via Bonifacio Lupi était située dans un quartier calme et bourgeois où s'étaient regroupés les différents corps des professions libérales. Mue par la curiosité, Alex s'amusa à lire les noms gravés sur les plaques en remontant la rue. L'une d'elles retint son attention si longtemps que Rinaldo finit par s'impatienter.

— Si tu continues à traîner, j'y vais sans toi.

Alex se hâta de le rejoindre.

— Si je comprends bien, tu rends les armes.

— Je ne rends pas les armes, je me contente de reconnaître que tu as certains droits.

— C'est la même chose, claironna-t-elle.

— Entre avant que je t'étrangle.

Les bureaux d'Enrico Varsi témoignaient de la réussite professionnelle de leur propriétaire. Très maître de son sujet, celui-ci s'exprima avec une grande clarté sur des questions complexes. Il se comporta avec courtoisie à l'égard d'Alex en lui témoignant l'estime d'un confrère et lui demanda son avis à plusieurs reprises. Désireuse d'apprendre les règles comptables de ce pays, elle parla peu, mais fut tout ouïe.

En sortant, Rinaldo l'emmena prendre un café devant le Duomo. Les yeux fixés sur sa tasse, Alex remua sa cuiller sans rien dire.

— Je te trouve bien pensive, fit remarquer son compagnon.

— Je réfléchissais aux différences comptables entre l'Angleterre et l'Italie. J'ignorais qu'un exercice financier puisse aller de janvier à décembre.

— Pourtant, cela va de soi.

— Chez nous, l'année comptable va d'avril à avril.

— Et les Anglais ont le toupet de nous trouver illogiques ! C'est un comble.

Alex eut un petit rire et se replongea dans la contemplation de son café.

Etonné par ce nouveau silence, Rinaldo demanda :

— Ça va bien ?

— Oui, pourquoi ?

— Eh bien, tu viens de rompre tes fiançailles. A te voir sourire et plaisanter, personne ne soupçonnerait que tu traverses une période douloureuse.

— Tu crois me connaître assez bien pour savoir ce que je ressens ?

— Je ne connais que ce que tu veux bien montrer de ta personne, mais je me doute que tu ne peux pas être aussi heureuse que tu le laisses croire. Et comme tu m'as offert un jour ton réconfort, je t'offre le mien.

Alex plongea les yeux dans ceux de Rinaldo. Elle y découvrit une telle chaleur et une telle gentillesse qu'elle fondit comme neige au soleil.

— Je ne souffre pas, murmura-t-elle. Et je ne suis pas une faible femme.

— Non, tu es trop forte pour ça.

— Dure, tu veux dire ?

— C'est ce que j'ai cru, au début ; je me trompais : tu as du cœur, mais tu le dissimules soigneusement.

— Tout comme toi.

Rinaldo acquiesça lentement.

— Nous avons appris tous deux à nous tenir sur nos gardes, mais tôt ou tard les sentiments font surface. Le trou dans le mur en est une preuve.

— Quel trou ? Ah… tu penses à cette statuette que j'ai lancée ?

— C'est bien à cause de ta rupture que tu l'as fait, non ?

— Oui.

— Sous tes airs très britanniques, tu deviens de plus en plus italienne, j'ai l'impression. La femme qui est arrivée ici n'aurait jamais osé faire une chose pareille et se serait contentée de quelques mots choisis.

— Détrompe-toi. Je n'étais pas aussi calme que tu le crois, mais je pensais que le bon sens permettait de résoudre la plupart des problèmes.

Elle eut un bref sourire en songeant à cette Alex qui lui était presque étrangère aujourd'hui. La raison et le bon sens semblaient bien loin quand elle était assise à côté de cet homme auprès duquel la vie prenait tout à coup un goût passionné et imprévisible.

— Et maintenant ?

— J'ai évolué. Un coup de sang de temps à autre est très libérateur.

138

Cette réponse lui valut un sourire éblouissant.

— Ta mère serait fière de toi.

— Sans doute. Si seulement elle pouvait me voir, en ce moment !

— Que pensait-elle de ton fiancé ?

— Elle ne l'aimait pas et le trouvait trop organisé.

— C'est une vertu dans votre profession, non ?

— Oui, mais chez David, cela ne se limite pas au domaine professionnel. Toute sa vie est planifiée jusqu'au moindre détail.

Elle se tut un instant puis reprit d'une voix sourde :

— Nous avions tout programmé. La maison, le mariage, nos carrières. Ensemble, nous devions prendre la tête du cabinet, mais je comprends aujourd'hui qu'il voulait surtout régner seul. J'étais persuadée qu'il m'aimait alors qu'il préparait son coup de force dans son coin ! Il a dû se frotter les mains quand je suis partie pour l'Italie. Je lui ai vraiment facilité la tâche.

— Parce que tu avais confiance en lui.

— Comme une idiote !

Alex ne se pardonnait ni sa naïveté ni son aveuglement si bien qu'une profonde amertume se dégageait de ses paroles.

— Depuis combien de temps le connaissais-tu ?

— Des années. Il travaillait déjà au cabinet quand on m'a recrutée à ma sortie d'université. Il était beau, brillant et je suis tout de suite tombée amoureuse de lui, mais il m'a fallu des années avant de parvenir à mes fins.

— Ce qui prouve une bonne dose de détermination de ta part.

— Une fois que je me suis fixé un objectif, rien de m'arrête.

Rinaldo la dévisagea intensément.

— Quel objectif poursuis-tu, maintenant ?

139

— Je n'en sais rien. Pour la première fois de ma vie, je n'ai pas de projets et je me sens à la dérive.

— Pourtant, tu sembles très sûre de toi, Circé.

Alex esquissa un sourire.

— T'est-il jamais venu à l'esprit que Circé était une personne très ambiguë ?

— Ce n'était pas une personne mais une déesse.

— Et une sorcière.

— Une sorcière qui semait la confusion autour d'elle.

— Cela n'a jamais été mon intention de semer la confusion entre nous, mais nous avions de telles idées préconçues l'un et l'autre que c'était inévitable.

— A partir d'aujourd'hui, plus d'idées préconçues. Je te promets que je ne te regarderai plus comme une espèce d'automate qui n'agit qu'avec son cerveau.

Alex eut une moue sceptique.

— Tu peux me le coucher par écrit ?

— Inutile, je te le prouverai.

— Puisque tu es dans de si bonnes dispositions, je t'autorise à prendre le volant pour rentrer.

— Serais-tu en passe de renoncer à tes principes féministes ?

— Pas du tout, mais je suis fatiguée alors je te laisse faire le travail.

En s'éloignant du café, Alex déclara :

— La raison a du bon, mais, parfois, on la surévalue.

— Seulement parfois ?

— Il t'arrive d'y céder, toi aussi. Tu t'es montré très « raisonnable » avec Enrico Varsi, par exemple.

Un camion passa à cet instant dans un vrombissement de moteur. Alex eut du mal à percevoir la réponse de Rinaldo mais elle crut l'entendre répliquer qu'il n'avait pas envie d'embrasser Enrico Varsi.

— Que disais-tu ?

— Qu'il faut prendre la première à droite.

Cette réponse murmurée à la hâte convainquit Alex que ses oreilles ne l'avaient pas trompée. Et, soudain, elle regretta que cet après-midi ne puisse durer éternellement.

Rinaldo garda le silence pendant le trajet de retour, mais Alex ne s'en plaignit pas. Les mots auraient gâché la magie qui naissait entre eux.

En regagnant sa chambre, ce soir-là, Alex appela Jenny qui lui apprit qu'elle avait donné sa démission.

— Je ne pouvais plus supporter de voir la mine satisfaite de David, mais j'ai été contente d'assister à votre algarade ! Vous ne l'avez pas raté.

— Je suis désolée que vous n'ayez plus d'emploi.

— Mais j'en ai un.

Jenny cita le nom d'un autre cabinet tout aussi prestigieux.

— A mon avis, ils ne demandent qu'à vous recruter, vous aussi.

— C'est gentil d'y penser, mais je suis très occupée ici. Le nom d'Andansio évoque-t-il quelque chose pour vous ?

— Oui. Cela remonte à plusieurs années. Mon précédent patron a eu affaire à lui.

— Que pouvez-vous me raconter ?

— Beaucoup de choses.

Alex écouta pendant une demi-heure en prenant des notes. Lorsqu'elle raccrocha, elle était plongée dans une profonde méditation.

*
**

Quelques jours plus tard, la secrétaire de Varsi appela pour prévenir que les registres de comptes étaient prêts et demander s'il fallait les poster. Alex, qui avait pris la communication, proposa d'aller les chercher.

Au moment de sortir, elle croisa Rinaldo et lui expliqua ce qu'elle allait faire.

— Et, bien sûr, tu promets de les rapporter sans y jeter un coup d'œil ? déclara-t-il avec ironie.

— Ai-je jamais dit ça ?

— Eh bien… au moins, tu joues franc-jeu.

Après avoir récupéré les registres, Alex s'enferma dans sa chambre et les passa au peigne fin pendant plusieurs heures.

— Qui s'occupe des comptes ? demanda-t-elle à Rinaldo, ce soir-là.

— Mon père les a tenus jusqu'à sa mort. Il se servait de l'ordinateur et était très fier de savoir maîtriser la bête.

— Pourrais-je consulter ses dossiers ?

Rinaldo la précéda dans le bureau et alluma l'ordinateur avant de la laisser.

Alex constata effectivement que le père de Rinaldo tenait ses comptes à la perfection. Lorsqu'elle eut terminé ceux qui concernaient le dernier exercice, elle s'attaqua aux années précédentes, trouva les registres correspondants dans une armoire de classement et passa la nuit à vérifier et revérifier.

L'aube se levait lorsqu'elle éteignit l'ordinateur. Au lieu de monter se coucher, elle enfila sa tenue de sport et partit courir. Ensuite, après une douche rapide, elle prit un petit déjeuner à la hâte et partit pour Florence.

Les semaines suivantes, elle passa la plupart de son temps dans la vieille cité. Parfois, elle rentrait très tard, parfois elle restait coucher sur place. Les deux frères observèrent la plus grande discrétion, mais Rinaldo lui adressait souvent des regards où l'interrogation se mêlait à l'étonnement.

Puis la récolte arriva et ils furent trop occupés pour se poser des questions sur les occupations d'Alex. Après le blé, il y aurait les olives et les citrons qu'il faudrait conditionner pour les commercialiser.

— Nous terminerons par les vendanges, déclara Gino. Probablement début octobre.

— Probablement ?

— Choisir le moment propice est délicat. Il faut attendre que le raisin soit assez sucré sinon on fabrique du vinaigre. Goûte donc celui-là.

Ils étaient assis sur la terrasse pour profiter des derniers rayons du soleil. Gino avait déposé sur la table des grappes d'un beau pourpre cueillies l'après-midi même. Il en détacha quelques grains qu'il tendit à Alex.

— Comment le trouves-tu ?

— Très sucré.

— Pourtant, il ne l'est pas assez.

— Il te suffit de le goûter pour le savoir ?

— C'est surtout Rinaldo l'expert. Il prétend que son flair est infaillible et qu'il ne se trompe jamais. Remarque, c'est ce qu'il dit à propos de tout.

— On parle de moi ? dit l'intéressé en surgissant sur la terrasse.

Après avoir salué Alex d'un petit hochement de tête, il s'assit à côté d'elle.

— J'expliquais à Alex que tu privilégies le goût et non les mesures scientifiques pour évaluer le degré de maturité des raisins.

— Qu'est-ce que la science a à voir avec la question ? s'enquit Alex.

— Rien, répondit Rinaldo. Evaluer le raisin est un art. Soit on le possède, soit on ne le possède pas. Comme mon frère n'a aucun don dans ce domaine, il s'efforce de m'expliquer que les mesures scientifiques sont plus fiables.

— C'est le cas, déclara Gino d'un air têtu.

— De quoi parlez-vous, bon sang ?

Gino sortit un mince tube de métal de sa poche. L'objet ressemblait à un télescope miniature, mais l'une des extrémités était composée d'un verre de couleur jaune qui se soulevait pour révéler une cavité. Gino introduisit un grain dans celle-ci et referma en pressant pour en exprimer le jus.

— Regarde, dit-il en lui tendant l'appareil.

Alex vissa son œil droit à l'autre extrémité et découvrit un minuscule cadran. Une aiguille oscillait près d'une zone rouge sans parvenir à l'atteindre.

— Cela indique la teneur en sucre. Quand l'aiguille est dans le rouge, cela signifie qu'il faut commencer la vendange.

En guise de commentaire, Rinaldo eut un ricanement méprisant.

— Je t'ai vu t'en servir à l'occasion, protesta Gino.

— Pour démontrer que cela me donnait raison.

— Et quand ce n'est pas le cas, tu n'en tiens aucun compte.

— Pour la bonne raison que je connais le raisin mieux que n'importe quel engin. Maintenant, je vous conseille de monter vous coucher pour prendre des forces si vous voulez affronter les semaines qui viennent sans faiblir.

Un tourbillon frénétique s'abattit sur l'exploitation pendant la moisson et la récolte. Le long été brûlant avait permis aux fruits de la terre de s'épanouir pleinement et les journées s'écoulaient au rythme d'un labeur acharné. Toutes les mains disponibles étaient requises et Alex se mit à l'ouvrage sans rechigner.

Le soir où tout fut terminé, tous trois s'installèrent sur la terrasse après le dîner. Epuisé, Gino était carrément vautré dans un fauteuil, la tête en arrière.

— Demain, nous commencerons les vendanges, déclara Rinaldo.

Gino se redressa d'un mouvement brusque.

— Tu n'es pas sérieux ?

— Si. Le raisin est à point.

Gino désigna son instrument de mesure sur la table.

— Pas si je me fie à ça.

— Je n'ai pas besoin d'un appareil pour me dire si le raisin est mûr, martela Rinaldo d'un air buté.

— Sois raisonnable, enfin ! Personne n'a commencé les vendanges. Tout le monde attend la semaine prochaine.

— Tant mieux. Nous serons en avance sur le marché et comme notre raisin sera le meilleur, nous le vendrons au plus haut. Maintenant, bonsoir.

Gino suivit son frère d'un regard stupéfait jusqu'à ce qu'il disparaisse à l'intérieur.

— Il a perdu la tête, ma parole ! Je ne l'ai jamais vu comme ça.

— Vous est-il arrivé d'être aussi en avance sur les autres viticulteurs ?

— De temps à autre, mais c'était l'affaire d'un ou deux jours. Jamais nous n'avons eu un écart d'une semaine. C'est de la folie ! Pourquoi prend-il un tel risque ?

— En est-ce vraiment un ?

— Enorme. Il risque tout.

Cette réponse ne surprit pas Alex. Le ton crispé qu'avait employé Rinaldo donnait en effet l'impression qu'il prenait un pari gigantesque et s'apprêtait à risquer son raisin de l'année sur un coup de dés.

*
* *

Le lendemain, la vendange commença. Le travail était long, laborieux et ardu car Rinaldo ne faisait pas davantage confiance aux machines pour cueillir les grappes. Là encore, Alex se mit à la tâche et vendangea tant et si bien que ses mains étaient couvertes d'ampoules. Quand elle s'adressait à Rinaldo, il répliquait machinalement, sans la regarder. Par moments, elle se demandait même s'il se rendait compte de sa présence.

Elle ne sut jamais comment elle tint à ce rythme infernal jusqu'au bout de la semaine. Sans doute fut-elle portée par la tension qui émanait de Rinaldo, par son obsession communicative qui le poussait vers un seul but. Lorsque la dernière grappe fut cueillie, elle se sentit vidée et inutile, comme si elle n'avait plus de raison d'être.

Les Farnese ne fabriquaient pas leur vin eux-mêmes, mais vendaient leur récolte à un viticulteur des environs. Lorsque celui-ci apprit que la vendange était achevée à Belluna, il poussa un cri de joie.

— J'arrive tout de suite. Je sais que nous pouvons nous fier au palais de Rinaldo.

Alex aurait souhaité être là lors de sa venue, mais au dernier moment, elle reçut un appel du *signor* Andansio, le comptable avec lequel elle passait le plus clair de son temps à Florence. Celui-ci lui demandait de se rendre à son cabinet de toute urgence.

Il faisait nuit lorsqu'elle rentra à Belluna. En trouvant les deux frères debout et silencieux dans le salon, son cœur fit un bond dans sa poitrine.

— Que se passe-t-il ?

— Je me suis trompé, avoua Rinaldo. Le raisin a été cueilli trop tôt. Il fallait attendre encore une semaine.

146

Le visage de Rinaldo était décomposé et son teint d'une pâleur de cendres. Il exprimait un tel désespoir et un tel dégoût de lui-même que Alex eut mal pour lui.

— Comment est-ce possible ?

— J'ai cru voulu croire ce que je voulais croire et cela nous a coûté notre meilleure vendange depuis des années.

— Le raisin est inutilisable ?

— Non. Valli l'achète, mais pas au prix fort ni pour faire du chianti. Ce sera un vin ordinaire.

— Cela ne nous est jamais arrivé, murmura Gino.

— En effet, ça ne nous est jamais arrivé et nous aurions pu l'éviter si je ne m'étais pas comporté comme le dernier des crétins.

— Tu as commis une erreur, ce n'est pas la fin du monde.

Rinaldo se dirigea vers la porte de la terrasse puis se retourna brusquement. En quelques secondes, son visage avait pris l'apparence de celui d'un vieillard.

— Détrompe-toi, Gino. Pour moi, c'est la fin du monde. J'ai besoin de réfléchir et d'être seul, alors ne cherchez pas à me suivre.

Sur cette injonction, il s'enfonça dans la nuit.

10.

Malgré son agitation, Alex se coucha. Mais, elle eut beau chercher le sommeil, rien n'y fit. De guerre lasse, elle finit par se lever et s'approcha de la fenêtre pour contempler le ciel étoilé. Bien qu'on soit en octobre, les nuits étaient encore chaudes et l'automne semblait bien loin.

Le souvenir de la nuit où elle avait vu Rinaldo enterrer Brutus, lui revint à la mémoire. Ce soir-là, elle avait compris qu'il avait du cœur. Un cœur ombrageux qui ne se livrait pas facilement, mais qui ressentait les événements profondément. Peut-être était-ce à ce moment-là que tout avait basculé, qu'elle avait commencé à souhaiter qu'il lui appartienne...

Dire qu'elle aimait Rinaldo ne donnait qu'une pâle idée de ses sentiments. Tomber amoureuse n'exprimait en rien la façon dont il avait pris possession de son cœur, de son âme, de ses espoirs, de ses rêves, de ses instincts.

La seule chose qu'il ne possédait pas encore était son corps, mais, ce soir plus que jamais, elle éprouvait le besoin de s'allonger auprès de lui, de ne faire plus qu'un avec lui pour s'abandonner enfin au bonheur d'être ensemble complètement. Alors, elle trouverait peut-être le moyen de le réconforter de cet échec qu'il avait provoqué pour des raisons qu'elle ne s'expliquait toujours pas.

S'il ne le lui avait pas interdit, elle l'aurait suivi sans hésiter, ce soir.

La silhouette de Rinaldo se profila soudain sous les arbres. Et la lune l'éclairait suffisamment pour qu'elle devine qu'il était anéanti.

Cette vue lui déchira le cœur. Il avait beau dire, c'était auprès de lui qu'elle devait être. Enfilant à la hâte un léger peignoir et une paire de mules, elle se précipita hors de la chambre.

En atteignant les arbres, elle le perdit de vue. L'espace d'un instant, elle craignit qu'il ne soit parti puis elle l'aperçut, assis sur un tronc, les mains serrées devant lui, la tête penchée en avant dans une attitude désespérée.

Il ne s'aperçut de sa présence que lorsqu'elle s'agenouilla à côté de lui. Mille pensées se bousculaient en elle, mille mots de réconfort, pourtant, elle ne put que répéter son nom.

— Rinaldo… Rinaldo…

Comme il demeurait silencieux, elle saisit son visage entre ses paumes.

— Je suis, là, Rinaldo. Dis quelque chose, je t'en supplie !

Là encore, aucune réaction. A le voir ainsi, impuissant et désespéré, elle le compara à un lion blessé, un géant abattu. Du fond d'elle-même monta une prière pour qu'il retrouve sa superbe, quitte à ce qu'il redevienne détestable. Un homme difficile, mais un homme…

Immobile et muet, il la contemplait d'un air si triste qu'elle renonça à parler pour passer à l'action. D'un geste sûr, elle attira sa tête vers la sienne jusqu'à ce que leurs lèvres se joignent. Il résista pour la forme puis ses bras l'enveloppèrent dans une étreinte farouche et sa bouche prit possession de la sienne fiévreusement. Elle répondit avec la même fougue, la même ardeur passionnée, offrant son âme et son corps dans un même élan.

— Alex…

— Non, ne parle pas. Pas encore, pas maintenant.

— Pas maintenant, répéta-t-il tout contre sa bouche.

Ses baisers étaient aussi merveilleux que les rêves d'Alex le lui avaient promis. Il l'embrassait avec une urgence fébrile, presque convulsive, comme s'il craignait qu'elle ne disparaisse subitement.

Galvanisée, elle lui rendit la pareille, se fit séductrice, audacieuse et provocante pour lui signifier qu'elle voulait aller au bout de leur étreinte, mais il raidit les épaules et tout son corps se contracta tandis qu'il s'écartait.

— Arrête, Alex ! Il faut que je te dise quelque chose.

— Cela attendra.

— Non, tu dois m'écouter.

La lueur sauvage qui brillait dans le regard de Rinaldo convainquit Alex qu'il ne servait à rien d'insister. Elle s'obligea à redescendre sur Terre à contrecœur, mais lorsqu'il laissa retomber ses mains, elle les saisit entre les siennes pour ne pas perdre tout contact avec lui.

— Explique-moi ce qui te met dans cet état. Ce n'est pas seulement le fait de t'être trompé, n'est-ce pas ?

— Bien sûr que si ! Si j'avais vu juste, on nous aurait payé le raisin à prix d'or. Je l'espérais tellement que j'en ai perdu le sens des réalités. Quand j'ai goûté le raisin, j'ai trouvé ce que je voulais trouver. Quel sombre crétin je fais ! conclut-il sur un rire amer.

— Ne sois pas trop dur avec toi-même. Ta fierté en a souffert, mais…

— Mon arrogance, surtout. A cause d'elle, j'ai perdu une vendange et causé un tort considérable à l'exploitation.

— Le reste de la récolte a été très bon.

— Oh, nous survivrons, mais pas de façon aussi prospère que je l'espérais.

— Pourquoi cela a-t-il tant d'importance ?

— C'est évident, non ?

— Pas pour moi, non.

— Cela m'aurait permis d'effacer ma dette à ton égard. Pendant des semaines je n'ai vécu que pour ça, pensé qu'au moment où je pourrais te dédommager.

Ces paroles glacèrent la jeune femme. Et si elle s'était trompée ? Rinaldo ne la désirait peut-être que physiquement. Peut-être espérait-il toujours se débarrasser d'elle. Il fallait qu'elle en ait le cœur net.

— Tu voulais régler ta dette pour être quitte avec moi, c'est ça ?

— Exactement. Cela m'aurait enfin permis de te faire cet aveu que je ne peux pas formuler tant que je suis ton débiteur. Un homme ne peut pas déclarer à une femme ce qu'elle représente pour lui quand il lui doit de l'argent.

Alex retint son souffle.

— Cela dépend de ce qu'elle représente pour lui.

Il lui effleura le visage d'une caresse.

— Plus que je ne pourrais jamais te le dire. Si tu savais comme j'ai rêvé du moment où je n'aurais plus de raison financière de t'épouser ! Les mots me brûlent les lèvres depuis des semaines, mais j'attendais d'avoir cet argent pour que tu croies vraiment à mon amour.

— Au diable l'argent ! C'est toi que je veux et si tu n'étais pas aussi aveuglé par ton satané orgueil tu l'aurais compris depuis longtemps.

— J'ai besoin de pouvoir garder la tête haute.

— Crois-tu que je pourrais te soupçonner de te vendre après le mal que tu t'es donné pour me faire fuir ? Personne ne peut t'accuser d'avoir joué les jolis cœurs auprès de moi, rassure-toi.

Il eut un bref sourire, mais Alex devina qu'il n'était qu'à moitié convaincu.

— Tu as beau être têtu et impossible, renoncerais-tu à moi, à nous, pour une simple histoire d'argent ?

Il secoua la tête d'un air sombre.

— Je me suis efforcé de m'en persuader, mais j'en suis incapable. Je voulais seulement régler tous les problèmes entre nous.

Ce fut au tour d'Alex de lui caresser la joue.

— Quel idiot tu fais… Ne comprends-tu pas que c'est justement l'amour qui résoudra tous nos problèmes ? Depuis le début, cette histoire d'argent nous empêche de reconnaître l'évidence.

— J'aimerais me sentir sur un pied d'égalité avec toi et, tant que nos comptes ne seront pas apurés, ce ne sera pas le cas.

— Si tu m'aimes autant que je t'aime, nous sommes sur un pied d'égalité.

— Tu sais bien que c'est le cas, sinon je n'aurais pas lutté si fort contre toi.

— Je sais…

— Tu as compris bien avant moi…

Rinaldo réalisait, lui, qu'il venait de franchir le point de non-retour. Il s'était promis de ne pas toucher Alex tant qu'il serait son débiteur, mais elle l'avait aidé à surmonter cet obstacle par la force même de sa foi en lui. Il n'avait plus qu'à rendre les armes, mais il les rendrait en conquérant.

Lorsqu'il enlaça de nouveau la jeune femme, elle s'abandonna sans réserve à ses baisers, heureuse de laisser enfin libre cours à la liberté d'aimer, cette liberté tant attendue à laquelle elle pouvait enfin donner corps.

Lèvres jointes, ils tombèrent enlacés sur l'herbe tendre. Le peignoir et la nuisette d'Alex se retrouvèrent bientôt à leur côté. La jeune femme aida ensuite Rinaldo à se dévêtir avec

152

impatience et l'accueillit entre ses bras dans un frémissement de bonheur.

— Cela fait si longtemps que j'attends, murmura-t-il d'une voix rauque.

Ses mains caressaient inlassablement le visage d'Alex, ses doigts couraient dans ses cheveux, sa bouche dévorait la sienne. Chacun de ses gestes exprimait l'amour qu'il lui portait, chaque caresse se voulait un gage d'éternité, une promesse de bonheur.

La terre exhalait l'odeur puissante et lourde des fruits mûrs gorgés de soleil. Le printemps comme l'été étaient derrière eux. Le temps de la moisson était venu, pour eux comme pour la nature.

Alex s'offrit à Rinaldo avec exultation, l'accueillant en elle avec un soupir d'allégresse. Jamais elle ne s'était sentie aussi vivante, aussi proche d'un être.

Il pesait sur elle de tout son poids, la pressant doucement contre l'herbe tendre. Alex seule savait quelle vulnérabilité se cachait sous ce corps d'homme triomphant et, juste avant de se perdre dans leur course éperdue vers le plaisir, elle se promit en secret de le protéger. Puis, soudés l'un à l'autre, ils partirent pour un rivage qu'ils découvraient ensemble pour la première fois.

Tremblants, agrippés l'un à l'autre comme s'ils avaient peur de se perdre, ils mirent longtemps à reprendre pied dans la réalité tant les perspectives qu'ils venaient de contempler les avaient éblouis.

Au bout d'un long moment, Rinaldo embrassa Alex sur le bout du nez.

— Si nous rentrions ?

Il l'aida à rajuster ses vêtements et l'entraîna vers la maison. Main dans la main, ils gravirent l'escalier sans un mot puis se dirigèrent vers la chambre de la jeune femme.

Alex s'éveilla dans les bras de Rinaldo. Même dans son sommeil, il l'étreignait avec force et donnait l'impression de ne plus jamais vouloir le lâcher.

Au cours de la nuit, ils s'étaient aimés encore et encore, comme s'ils cherchaient à compenser les longues semaines d'attente, le temps passé à s'apprivoiser. Puis, épuisés, ils avaient fini par sombrer dans un sommeil profond.

— Il faut nous lever, murmura Rinaldo sans enthousiasme.

Alex sema une pluie de baisers sur son visage.

— Une nouvelle journée commence.

— Surtout pour nous. A partir d'aujourd'hui, je ne te laisserai plus jamais. Si tu voulais me quitter, il est trop tard.

Alex lui adressa un sourire béat.

— Tant mieux !

— Ce ne sera pas facile tous les jours, tu sais. Je t'aime, mais cela ne va pas faire de moi un agneau.

— J'espère bien, sinon je ne te reconnaîtrais plus.

— Cela fait si longtemps que je n'ai pas aimé. Je croyais que j'avais oublié.

— Si jamais cela t'arrive, je ne demande qu'à te rafraîchir la mémoire.

Ils s'écartèrent à contrecœur l'un de l'autre puis se levèrent sans plus d'enthousiasme.

— Peux-tu jeter un coup d'œil dans le couloir pour vérifier si la voie est libre ? demanda Rinaldo. Je ne tiens pas à ce que Gino me voie sortir en catimini de ta chambre.

— Moi non plus. Il ne faut pas qu'il apprenne notre relation comme ça.

Après une courte hésitation, Rinaldo reprit :

— Tu crois qu'il risque d'être jaloux ?

— Sûrement pas. Il n'y a jamais rien eu entre nous à part un flirt innocent. Que tu avais initié, je te le rappelle.

154

— Ce n'est pas moi qui…, commença Rinaldo avant que l'éclat de rire d'Alex l'empêche de poursuivre.

— Tu devrais voir ta tête ! Fais attention à ce que tu vas dire, Gino m'a tout raconté.

L'embarras de Rinaldo s'accentua encore.

— Tout ?

— Tout !

— Qu'entends-tu précisément par là ? s'enquit-il prudemment.

— Si je parle de fausse pièce, cela évoque-t-il quelque chose ?

Un gémissement consterné échappa à Rinaldo.

— Le faux frère ! Je vais l'étrangler de mes propres mains.

Alex s'amusait comme une folle. Il était grand temps qu'elle apprenne à Rinaldo à développer son sens de l'humour. Attendrie, elle l'enlaça pour lui signifier que ce n'était pas grave.

— Ecoute, je peux tout expliquer.

— Inutile ! C'est plutôt drôle, tu sais, mais voilà qui t'apprendra à repousser une femme avant de la connaître.

— Je n'aurais jamais pu entreprendre de te séduire froidement. Remarque, j'étais tellement furieux que j'étais prêt à tout, alors peut-être que je…

— Je n'ai pas besoin d'explications, Rinaldo. N'oublie pas que je te connais.

— Je sais. Quand tu m'as dit que j'étais seul, le soir de la St. Romuald, tu disais vrai et je t'ai repoussée parce que tu voyais trop clair en moi, justement. Je m'étais refermé sur moi-même pendant si longtemps que j'avais peur de m'ouvrir de nouveau, de prendre le risque d'aimer et de souffrir. Je t'ai accusée de jouer un jeu malsain pour me protéger, mais cela n'a servi à rien parce qu'il n'y a pas de protection contre l'amour.

— Sauf celle que nous nous apportons mutuellement.

La mine pensive, Rinaldo acquiesça lentement.

— J'ai eu tellement peur de mes sentiments que je me suis enfui le lendemain, comme un froussard. Quand j'ai appris ton départ, j'ai cru que je ne risquais plus rien, mais cela a été pire. L'idée de ne plus jamais te revoir m'a été insupportable. Si tu n'étais pas rentrée, je serais allé te chercher en Angleterre, mais tu es revenue à ta façon, sans crier gare. Tu te souviens de notre corps à corps ?

— Et comment !

— Si Gino n'avait pas assisté à la scène, je crois que je t'aurais fait l'amour sur le tapis.

— Et je n'aurais pas beaucoup résisté.

— Ton retour m'a déboussolé. Je ne savais plus quoi te dire ni comment t'aborder. Tu avais beau déborder d'assurance, j'ignorais comment tu vivais ta rupture. Je mourais d'envie de te prendre dans mes bras pour te dire que cela n'avait aucune importance et que je t'aimais comme un fou, mais je n'ai pas pu. Alors, j'ai commencé à compter sur les vendanges et à espérer qu'elles me libéreraient de ma dette. Je voulais te rembourser pour avoir le droit pouvoir te regarder en face.

La mine à la fois compréhensive et amusée d'Alex lui arracha un soupir.

— Là encore je me suis trompé.

— C'est l'amour qui compte, pas l'orgueil.

— Est-ce vraiment aussi simple ?

— Mais oui…

— Es-tu vraiment sûre que Gino ne sera pas blessé ? Pendant un moment, j'ai cru qu'il était amoureux de toi, mais aujourd'hui, je n'en suis plus si sûr.

— Ne t'inquiète pas. Il jouait la comédie, comme d'habitude.

— Sans doute. C'est un comédien-né.

— Remarque, depuis mon retour, il est très réservé à mon égard.

— En effet et cela ne lui ressemble pas.

— Sans doute est-il gêné. Il doit avoir peur d'être allé trop loin. Comme j'ai rompu avec David, il s'imagine peut-être que j'espère me marier avec lui et s'efforce de me faire comprendre le plus gentiment possible qu'il n'en est pas question.

— Peut-être. Cela étant, je suis certain qu'il a été passionnément amoureux de toi pendant au moins… deux jours.

— Est-ce là toute la valeur que tu m'accordes ?

— Non, mais c'est son record dans ce domaine.

Tous deux éclatèrent de rire, puis Alex inspecta le couloir pour s'assurer que la voie était libre. Après un dernier baiser, Rinaldo la quitta à contrecœur.

Lorsque Alex descendit dans la cuisine, dix minutes plus tard, Rinaldo était seul, mais ils aperçurent Gino dans le jardin qui se dirigeait vers la maison.

— On lui dit maintenant ? demanda Rinaldo.

Alex fit non de la tête.

— J'ai d'abord une grande nouvelle à vous annoncer, dit-elle.

— Quoi donc ?

— Tu verras bien.

En pénétrant dans la cuisine, Gino dévisagea son frère avec une pointe d'étonnement.

— Tu as l'air plus guilleret ce matin qu'hier soir.

— Vous allez l'être tous les deux plus encore quand vous m'aurez écoutée.

Deux paires d'yeux noirs inquisiteurs se posèrent sur Alex.

— Enrico Varsi vous doit de l'argent. Beaucoup d'argent, si mes comptes sont exacts.

— Comment est-ce possible ? s'exclama Rinaldo.

— C'est très simple : il vous vole depuis des années.

— Cela m'étonnerait, Alex. Varsi a pignon sur rue et…

— Justement, cela lui permet d'autant plus facilement de trafiquer des comptes.

— C'était l'un des plus vieux amis de notre père et il lui faisait entièrement confiance.

— Raison de plus. Il est enfantin de tromper quelqu'un qui vous fait confiance et il n'est sûrement jamais venu à l'esprit de votre père que Varsi pouvait l'escroquer. En revanche, cela m'a sauté aux yeux dès que je me suis penchée sur votre comptabilité.

— Nous sommes en Italie, Alex. Les méthodes de comptabilité y sont différentes de celles qu'on pratique en Angleterre.

— C'est pourquoi j'ai suivi une formation accélérée pour comprendre les arcanes de la comptabilité italienne.

— Où ça ?

— Auprès de Tomas Andansio. Son bureau se trouve à deux pas de celui de Varsi.

— C'est sa plaque devant laquelle tu t'es arrêtée si longtemps l'autre jour, c'est ça ?

— Oui. Son nom ne m'était pas étranger et je me suis rappelée qu'il avait été en relation avec mon ancien cabinet à Londres. Non seulement Andansio est brillant, mais sa probité ne fait aucun doute. Grâce à lui, je me suis initiée aux us et coutumes comptables de votre pays. Quand je lui ai montré mes preuves, il s'est rendu à l'évidence et m'a aidée de ses conseils. Varsi vous a soutiré une petite fortune à votre insu. Si votre père avait disposé de cet argent, il n'aurait jamais eu besoin d'hypothéquer une partie de Belluna.

Gino se jeta au cou d'Alex avec un cri de joie avant de l'entraîner dans une valse exubérante autour de la pièce.

— Tu es notre bon génie, notre ange gardien, notre bonne étoile !

158

— J'admets que cela ouvre des perspectives intéressantes, déclara Rinaldo, mais…

Gino libéra Alex en fusillant son frère du regard.

— Des perspectives intéressantes ! Est-ce tout ce que tu trouves à dire après ce que Alex a fait pour nous ? Il serait temps que tu commences à l'apprécier à sa juste valeur !

— J'essaie de rester réaliste, c'est tout.

Alex intervint.

— Je m'attendais à cette réaction, aussi je vous propose de prendre rendez-vous chez Andansio. Etant donné que c'est un homme, je suppose que tu le croiras, Rinaldo.

— Surtout s'il est Italien, précisa celui-ci en souriant.

Gino suivit Alex dans l'entrée quand elle alla téléphoner.

— Tu as un effet très civilisateur sur Rinaldo, Alex. Surtout, continue.

En fin d'après-midi, le trio se rendit chez Andansio qui confirma les révélations d'Alex.

— Quand je pense que papa n'a jamais vérifié ses comptes parce qu'il lui faisait confiance ! s'écria Gino avec indignation.

— Cela n'aurait pas changé grand-chose. Varsi dissimulait ses exactions avec beaucoup de talent et il fallait un œil aiguisé comme celui d'Alex pour remarquer les irrégularités. Si vous vous décidez à passer les examens nécessaires pour pratiquer dans notre pays, vous serez la bienvenue dans mon cabinet.

Alex adressa au comptable son plus charmant sourire.

— J'y réfléchirai, merci.

— Je vous disais bien que c'est un génie ! conclut Gino, aux anges.

Rinaldo revint aux choses sérieuses.

— Quelle est la conduite à tenir, maintenant ? Faut-il porter plainte ? Si nous traînons Varsi devant les tribunaux, pouvons-nous apporter des preuves de ces malversations ?

— Oui, mais il y a moyen de traiter l'affaire à l'amiable. Nous montrons nos preuves à Varsi en demandant restitution des sommes détournées, pour nous mais aussi pour tous les clients qu'il a détroussés. Ce sera bien plus efficace que des poursuites en justice. En échange de notre discrétion, il devra promettre de ne pas recommencer.

— Comme si une promesse pouvait arrêter ce genre de personnage !

— Je le tiendrai à l'œil et il le saura. A mon avis, cela suffira.

— Combien doit-il nous rendre ?

Andansio cita un chiffre qui laissa les deux frères pantois.

— Cela correspond presque exactement au montant de l'hypothèque, murmura Rinaldo.

— En effet. Je suppose que vous ne serez plus clients de Varsi.

— Non, nous préférons placer nos intérêts entre vos mains, déclara Rinaldo avec conviction.

— Dans ce cas, puis-je vous suggérer de me laisser m'occuper des tractations ? Cela devrait aller assez vite.

En sortant du bureau, Gino s'exclama :

— Il faut fêter ça !

Sans attendre leur réponse, il entraîna Alex et Rinaldo dans le meilleur restaurant de la ville et commanda du champagne dès qu'ils furent installés à table. Au cours du dîner, il monopolisa presque toute la conversation, mais, lorsqu'ils reprirent la voiture pour rentrer, il s'endormit aussitôt avec un sourire béat.

11.

Pour marquer la fin de la récolte et des vendanges, chaque propriété donnait une fête.

Lors de la soirée des Farnese, il faisait un temps magnifique. Depuis plusieurs jours, Alex, Teresa et ses deux nièces travaillaient d'arrache-pied pour que la réception soit une réussite. Des lampions multicolores égayaient les arbres sous lesquels on avait dressé de grandes tables chargées de victuailles. A l'intérieur, les cuivres, l'argenterie et le cristal étincelaient illuminés par les grands chandeliers placés sur les tables.

Lorsque Alex émergea de sa chambre dans un nuage de soie bleue, Rinaldo la dévora d'un regard brûlant.

— Tu es resplendissante. Que dirais-tu si nous annoncions nos fiançailles, ce soir ?

— J'en rêve, mais il faudrait d'abord le dire à Gino et je n'arrive pas à le trouver.

— Depuis que Varsi nous a rendu l'argent qu'il avait détourné, il vogue sur un petit nuage.

A ces mots, une ombre voila le visage d'Alex. Rinaldo fronça les sourcils.

— Qu'y a-t-il ?

— Je ne sais pas quoi faire de tout cet argent. La seule chose dont j'ai envie, c'est de faire partie intégrante de Belluna.

— Ce sera le cas quand tu seras ma femme.

— Je sais, mais cela ne me suffit pas.

— Si cela peut te soulager, tu n'auras qu'à acheter les engrais pour l'année prochaine, régler l'entretien des machines et participer à la construction des nouvelles granges. Cela nous évitera d'emprunter à la banque et tu auras enfin la participation financière dont tu rêves.

Le visage d'Alex s'illumina.

— C'est parfait !

— Si tu savais combien coûte l'engrais, tu ne prendrais pas cet air satisfait. As-tu idée du montant que cela représente ?

— Je te rappelle que j'ai épluché vos comptes pendant des semaines, alors ils n'ont plus de secrets pour moi.

— Dans ce cas, nous demanderons son accord à Gino dès que nous aurons réussi à mettre la main sur lui. Après tout, il est aussi propriétaire et je ne dois pas prendre de décisions financières sans le consulter.

Alex pouffa.

— Il ne doit pas en avoir l'habitude.

— J'ai l'impression que tu prends un malin plaisir à te moquer de moi.

— Parce que tu manques sérieusement de pratique.

— Je compte sur toi pour y remédier. Allons-y, maintenant. Les premiers invités ne devraient pas tarder à arriver, mais j'aimerais bien savoir où a disparu Gino.

— Je ne l'ai vu qu'en coup de vent ces derniers jours et pas du tout aujourd'hui.

— Il m'a dit qu'il avait affaire à Florence, sans plus de précision.

— Il doit s'agir d'un rendez-vous galant. Peut-être est-il allé cherché sa dernière conquête pour l'amener à la soirée, qui sait ?

Les premières voitures arrivaient quand ils descendirent l'escalier. Une demi-heure plus tard, une centaine de personnes étaient réunies dans la grande salle de réception et l'atmosphère n'était pas à la morosité. Pour la première fois, Alex se sentit vraiment chez elle et elle regretta d'autant plus vivement que Gino ne soit pas là.

Elle n'eut pas plus tôt formulé cette pensée qu'il apparut sur seuil de la pièce. Son arrivée fut accueillie avec enthousiasme par les invités. Il alla saluer tout le monde, serrant les mains avec chaleur, embrassant chaque femme avec son charme habituel et parvint enfin devant Alex et son frère.

— Je suis désolé d'arriver si tard.

— Je l'espère, riposta Rinaldo. C'est la première réception d'Alex ici et elle s'est donné beaucoup de mal pour que ce soit une réussite.

— Elle me pardonnera quand elle entendra ce que j'ai à dire.

Il couva Alex d'un regard adorateur qui alarma la jeune femme.

— Veux-tu prendre un verre ? proposa-t-elle.

— Tout à l'heure. Pour l'instant, j'ai autre chose en tête. J'ai attendu jusqu'à maintenant, mais je ne peux plus patienter davantage. Je t'aime, Alex, et je veux t'épouser.

— Gino, je…

— Chut, ne dis rien et laisse-moi te montrer ceci.

D'un geste vif, il sortit un écrin de sa poche et l'ouvrit. Alex contempla avec consternation le magnifique saphir ancien entouré de diamants.

— Cela fait une éternité que j'ai repéré cette bague. Depuis, je rêve de te l'offrir en imaginant le jour où je te demanderais d'être ma femme. Quand je suis retourné chez le bijoutier, elle avait été vendue à quelqu'un d'autre. Il m'a fallu un temps fou pour retrouver sa trace et la négocier, mais aujourd'hui, elle t'appartient.

Atterrée, Alex ne sut que dire, mais Gino enchaîna sans se démonter :

— Je ne t'ai jamais caché les sentiments que tu m'inspirais. Même quand je faisais l'idiot, mon cœur t'appartenait déjà. Et si jamais tu doutais de la profondeur de mon amour, j'espère que cette bague t'en convaincra.

S'agenouillant devant Alex, Gino lui prit la main en déclarant d'un ton solennel :

— Veux-tu être ma femme, Alex ?

La jeune femme nageait en plein cauchemar. Paralysée par le choc et l'embarras, elle fut incapable de mettre un terme à ce quiproquo désastreux.

Gino en profita pour lui glisser la bague au doigt. La gorge nouée, Alex la contempla sans y croire. Puis ses yeux s'emplirent de larmes quand elle songea au chagrin qu'elle allait faire à Gino.

Il lui souriait, radieux, sans comprendre la raison de son silence. Rinaldo se tenait derrière lui, très pâle. D'un imperceptible signe de tête, Alex lui demanda de ne pas intervenir.

— Relève-toi, Gino, murmura-t-elle doucement. Ne parlons pas de ça maintenant.

Gino obéit d'un air étonné.

— Mais il n'y a rien à dire, mon amour.

— Si… enfin, je… je ne peux pas accepter. Je suis désolée, cela m'est impossible.

Otant la bague, elle la lui remit dans la main.

A la joie et l'assurance succéda la stupeur sur le visage de Gino, comme s'il ne parvenait pas à croire qu'elle refusait sa demande en mariage.

— Suis-moi, dit Alex.

Des applaudissements accompagnèrent leur départ. Peu de personnes ayant entendu leur échange, la plupart pensèrent qu'ils préféraient s'isoler pour laisser éclater leur joie.

Gino le crut aussi car dès qu'ils furent sous les arbres, il voulut prendre Alex dans ses bras.

— Je suis navré, mon amour. Je n'aurais pas dû faire ça en public.

— Ecoute Gino…

— Je sais que tu me pardonneras quand tu comprendras à quel point je t'aime. Mais tu l'as déjà compris, n'est-ce pas ?

— Non, Gino. Au début, j'ai cru que tu flirtais par jeu et comme tu m'évites depuis mon retour d'Angleterre, comment voulais-tu que je devine que c'était sincère ?

— Je t'ai évitée par respect pour tes sentiments. Cette rupture a dû t'éprouver terriblement et tu avais besoin de temps pour te remettre. Je ne suis pas une brute insensible, tout de même.

— C'est vrai. Tu es un garçon délicieux.

— Je ne suis pas un garçon, mais un homme assez mûr pour savoir que je t'aime et pour attendre que tu sois prête à m'épouser.

— Je suis désolée, Gino. Tu jouais une telle comédie que je n'ai pas cru un instant que tu étais sérieux.

— Au début, il s'agissait d'une comédie, mais je me suis pris à mon propre jeu. Il a fallu que tu partes pour que je prenne conscience de la force de mes sentiments. La vie était sinistre sans toi. Si tu n'étais pas revenue, je t'aurais suivie là-bas.

Alex blêmit en entendant ces mots qui faisaient écho à ceux de Rinaldo.

— Tu es la seule, l'unique. J'ai beaucoup papillonné et cru aimer, mais, aujourd'hui, je sais que c'est pour la vie.

— Ne dis pas ça, je t'en prie ! C'est impossible !

Pour la première fois, le visage de Gino s'assombrit.

— Pourquoi ça ?

— Parce que je ne t'aime pas.

Il la considéra comme si ces mots paroles n'avaient aucun sens pour lui.

— Je me suis déclaré trop tôt, c'est ça ? Tu es toujours amoureuse de ton ex-fiancé ?

— Pas de lui, mais de…

Elle s'arrêta à temps, consciente qu'elle ne pouvait lui avouer la vérité maintenant.

— Ecoute, Gino. Restons-en là pour ce soir. Nous reprendrons cette discussion à un moment plus propice.

— Tu as raison. Je t'ai bousculée, mais je suis patient. J'attendrai.

Là-dessus, il lui décocha un bref sourire et retourna à l'intérieur.

En le regardant s'éloigner, Alex se reprocha amèrement de n'avoir rien vu venir. Il disait vrai : en quelques semaines, il avait incroyablement mûri, mais elle n'avait rien remarqué, hélas.

Loin d'afficher un air morose, Gino devint le-boute-en train de la soirée, comme s'il cherchait à conjurer le sort. Il ne manqua pas une danse, flirta avec toutes les femmes et s'étourdit jusqu'à la fin.

Sa gaieté fit croire à tous qu'il avait obtenu gain de cause. Seuls quelques-uns notèrent que Alex et lui s'évitèrent jusqu'à la fin de la soirée.

Lorsque les derniers invités partirent, Alex et Rinaldo se retrouvèrent seuls.

— Où est passé Gino ? demanda Rinaldo.

— Je ne l'ai pas vu depuis une demi-heure. Oh, Rinaldo, c'est épouvantable !

— Terrible, même. Il finira par se faire une raison, mais quelle humiliation après s'être déclaré publiquement devant tous les invités.

— Il a accusé le coup avec courage, en tout cas. Après ce que je lui ai dit, cela ne manquait pas de panache.

— Que lui as-tu dit exactement ?

— Que je ne l'aimais pas. Le moment était mal choisi pour lui révéler la nature de nos relations.

Après ce bref échange, Alex aida Teresa à ranger un peu puis retrouva Rinaldo.

— D'après Teresa, Gino est parti en voiture.

— Il a besoin de s'isoler pour réfléchir. Il se sentira mieux ensuite.

Inquiet, Rinaldo se posta sur le perron pour guetter le retour de son frère. Au bout d'une demi-heure, Alex vint le trouver.

— Si Gino te surprend en train de l'attendre, il risque de ne pas apprécier. Ce n'est plus un gamin.

— Tu as raison. Il faut que j'arrive à me défaire de l'idée que je suis son second père. Mais j'appréhende terriblement le moment où il faudra lui annoncer que nous avons l'intention de nous marier.

— Tu n'envisages pas une séparation, j'espère ?

— Quelle idée ! Tu m'es aussi indispensable que l'air que je respire. Et puis, j'ai beau adorer mon frère, je ne renoncerai pas à toi pour lui. Rentrons, maintenant. Il me tarde d'être seul en ta compagnie.

Ils gravirent l'escalier dans l'obscurité. Avant même d'atteindre le palier, Rinaldo prit la jeune femme dans ses bras pour l'entraîner dans sa chambre où il l'embrassa avec fougue.

— Je n'ai pas la patience d'attendre jusqu'à ta chambre, murmura-t-il en lui ôtant ses vêtements.

167

Ils se dévêtirent l'un l'autre avec hâte et tombèrent enlacés sur le lit. Commença alors un rituel dont Alex ne se lassait pas. Elle aimait ces moments qui préludaient à leurs étreintes, où Rinaldo portait son désir à son point d'incandescence. Elle aimait l'expression sauvage qui animait ses traits, la lueur farouche qui embrasait son regard, la légèreté subtile de ses mains sur son corps.

Elle l'aimait pour lui avoir révélé sa propre sensualité. La véritable Alex était mue par la même force primitive que lui et cela constituait un lien puissant entre eux.

Chaque fois, sa douceur, son expertise, sa générosité lui amenaient les larmes aux yeux. Jamais elle n'aurait cru qu'un homme aussi abrupt et réservé serait capable de conjuguer avec un tel talent tendresse et passion, de déployer autant de fougue, de s'offrir à elle avec autant d'abandon.

Les yeux rivés sur son compagnon, Alex guetta son visage pour y voir l'expression émerveillée dont elle ne se lassait pas. Lorsqu'elle la reconnut, elle se joignit à lui dans un murmure ébloui.

Dès que Rinaldo s'endormit, elle se dressa sur un coude pour le dévorer des yeux avec une curiosité passionnée. Cela ne lui arrivait pas si souvent de pouvoir l'observer à son insu.

Dans le sommeil, ses traits s'adoucissaient, mais le menton conservait son expression têtue et le nez sa courbe autoritaire. Il l'avait prévenue qu'ils se disputeraient, mais ce serait une des facettes de leur amour. Et puis, sur ce plan-là, elle avait du répondant. Il faudrait qu'elle soit prudente, cependant, car sous ses dehors inébranlables, Rinaldo était vulnérable parce qu'incapable d'exprimer ses sentiments.

Même la bouche qui ne perdait rien de sa fermeté dans le sommeil ne la trompait plus. Elle l'avait trop souvent embrassée, l'avait trop souvent sentie s'adoucir contre la sienne pour se méprendre sur la nature profonde de Rinaldo. Quand il aimait, il aimait complètement et se donnait sans réserve ce qui le rendait d'autant plus fragile.

Elle demeura longtemps éveillée dans le noir, étonnée du chemin parcouru en quelques mois.

Elle était tombée sous le charme d'un pays gorgé de soleil où le romantisme prédominait. Cette Italie-là était celle de Gino, mais elle possédait un autre visage, sombre et tourmenté, dont les récits sanglants de mort et de vengeance qui inspiraient la littérature ou l'opéra révélaient l'aspect sauvage. Rinaldo appartenait à ce pays-là et il l'avait conquise définitivement.

Rinaldo se trouvait dans un endroit mystérieux qu'il connaissait sans pouvoir le nommer et il attendait quelque chose sans savoir quoi. Assis à côté de lui, son père posait sur lui un regard angoissé et ouvrait la bouche pour prendre la parole.

Comme chaque fois qu'il faisait ce rêve, il se réveilla en sursaut sans avoir le temps de découvrir ce que son père voulait lui dire.

Le corps parcouru de frissons, il se dressa sur son séant, les yeux grands ouverts mais sans rien voir.

— Que se passe-t-il, Rinaldo ? Réveille-toi.

Alex le secoua doucement sans qu'il réagisse.

— Rinaldo, dis quelque chose !

Il baissa enfin les yeux vers elle.

— Tu as fait un cauchemar, c'est ça ?

— Non. Je me souviens enfin de ce qui m'échappe depuis si longtemps. Je savais bien qu'il me manquait un maillon de la chaîne.

— Et tu l'as retrouvé ?

— Oui. Cela remonte au jour de la mort de mon père. Je suis arrivé à l'hôpital avant Gino et je suis resté seul un bon moment avec lui. Il a essayé de parler, mais n'est parvenu qu'à répéter sans cesse le mot « désolé ». Je vois encore son regard désespéré. Il s'efforçait de me dire quelque chose sans y parvenir. J'ai attendu, attendu puis j'ai compris que c'était sans espoir et je lui ai pris la main pour le réconforter. Il s'est apaisé presque aussitôt et s'est éteint peu après.

— Que crois-tu qu'il voulait dire ?

— Il pensait à l'hypothèque. Il avait compris que c'était la fin et voulait s'excuser avant qu'il ne soit trop tard. Je ne comprends pas comment j'ai pu oublier ! C'est comme si mon cerveau avait gommé ce souvenir.

Alex le serra dans ses bras.

— Ce n'est pas surprenant. Pour te le remémorer, il fallait que tu sois prêt, or tu avais subi un choc terrible.

— Quand je pense aux reproches que je lui ai adressés depuis ! Mais il a voulu me prévenir, s'excuser.

— Il ne tenait pas à ce que tu découvres l'affaire comme ça.

— Il ne nous a pas quittés sans rien dire, comme je le croyais. J'ai enfin l'impression de retrouver mon père tel que je l'ai connu, de me réconcilier avec lui, tout ça grâce à toi.

— Je n'y suis pour rien. Tu t'en serais souvenu un jour ou l'autre, de toute façon.

— Non, cela a pu se produire parce que tu m'as apporté la paix. Je ne la perdrais plus et c'est à toi que je le dois.

Il l'étreignit contre lui à l'étouffer.

— Ne me quitte pas, ne me quitte jamais !

— Je te le promets.

— J'aurai toujours besoin de toi. Avant ton arrivée, je me contentais de survivre. Je frémis à l'idée que tu aurais pu ne jamais venir en Italie. Imagine que nous ne nous soyons jamais rencontrés ?

— Notre rencontre était sans doute inscrite dans nos destinées. Tu te souviens du premier jour ?

— A l'enterrement de mon père ? Très bien.

— Je crois que j'ai tout de suite su que tu allais prendre une place importante dans ma vie. J'ignorais laquelle, mais je ne pensais pas que nous commencerions par nous détester. Avec le recul, je me dis que c'était une étape obligée. Cela nous a permis de nous découvrir sous notre pire jour. Après ça, il ne peut pas y avoir de mauvaises surprises.

— Mais il nous reste à nous connaître encore mieux.

— Tu trouves que ce n'est pas le cas ?

— Pas encore. J'ai envie de passer chaque moment de la journée avec toi, de tout savoir de tes goûts, de tes dégoûts, de vieillir à tes côtés au point que tu fasses partie intégrante de moi.

— Comme si ce n'était pas encore le cas !

— C'est vrai, pardonne-moi. Grâce à toi, j'ai l'impression de rentrer chez moi après des années d'errance.

Emue au-delà de toute mesure, Alex l'embrassa avec tendresse.

Forts de leur confiance, ils se blottirent l'un contre l'autre et s'endormirent paisiblement.

Quelques heures plus tard, Alex se réveilla de nouveau en proie à un pressentiment désagréable. Lorsqu'elle ouvrit les paupières, son sang se glaça dans ses veines.

Gino se tenait au pied du lit, le visage décomposé.

Alex gémit intérieurement. Gino était le dernier être au monde qu'elle aurait souhaité blesser. Hélas, son expression prouvait qu'il était brisé.

Rinaldo dormait toujours, la tête contre son épaule, un demi-sourire aux lèvres. Et, si le doute était encore permis, le bras qu'il avait passé autour de sa taille témoignait avec éloquence de la nature de leurs relations.

La pâleur de Gino semblait s'accentuer de seconde en seconde. Bouleversée, Alex tendit la main vers lui. Dans un mouvement réflexe, il recula vers la porte, le regard fixé sur son frère et la femme qu'il aimait tendrement enlacés.

Ne sachant que faire, Alex secoua Rinaldo qui se réveilla aussitôt. Lorsqu'il aperçut son frère, il se raidit et poussa un gémissement.

Gino secoua la tête comme s'il ne pouvait croire au spectacle qui s'offrait à ses yeux puis il s'enfuit.

— Gino ! hurla Rinaldo.

Il bondit hors du lit, enfila son jean et se rua vers le palier. S'enveloppant à la hâte dans son peignoir, Alex descendit les rejoindre dans le salon. Les portes-fenêtres étaient ouvertes sur la terrasse où l'on apercevait la table où tous trois avaient passé tant de soirées mémorables.

Incapable de rester en place, Gino arpentait la pièce comme un fauve en cage. Lorsque Alex approcha, il tourna vers elle un visage ravagé, méconnaissable. Sa jeunesse et son insouciance semblaient s'être envolées d'un coup. Son regard même était dévasté.

— Pourquoi ne m'avez-vous rien dit ? Ce n'était pas si difficile quand même ! Vous m'avez mené en bateau en me laissant croire que vous vous détestiez cordialement. Pourquoi, bon sang ? Pourquoi ?

Il posa un regard dur sur Alex.

— Cela t'amusait de jouer la comédie, c'est ça ?

— Tu te trompes, Gino, je n'ai jamais...

— Ne me prends pas pour un demeuré ! Depuis le début, tu...

— Pas depuis le début ! Nous ne jouions pas la comédie quand nous nous disputions.

— Que s'est-il passé, alors ? Pourquoi ce revirement ?

Rinaldo intervint.

— Il n'y a pas eu de revirement. Les sentiments que nous éprouvons l'un pour l'autre existaient déjà, mais ils se manifestaient sous une forme agressive. C'était notre façon de lutter contre eux inconsciemment. L'hostilité qu'Alex m'a inspirée au début n'était pas feinte, tu es bien placé pour le savoir. Je suis tombé amoureux d'elle à mon corps défendant, mais je n'ai pas pu résister parce que c'est une femme merveilleuse.

— Je sais, merci !

— Pardonne-moi.

Rinaldo semblait lui aussi anéanti. Il aimait son frère et regrettait qu'il découvre leur liaison de cette façon.

— Je suis désolé, Gino. J'espérais simplement que tu comprendrais.

— Ça, pour comprendre, je comprends. C'est même clair comme de l'eau de roche.

— Ne te bute pas, supplia Alex. Rinaldo n'a pas pris ta place. C'est lui que j'aurais choisi quoi qu'il advienne. Nous avons mis longtemps avant de prendre conscience de nos sentiments, mais il dit la vérité : dès le premier jour, il y a eu des étincelles entre nous. Alors même que nous nous affrontions, nous étions en train de tomber amoureux. Crois-moi, je t'en prie. Je ferais n'importe quoi pour que tu ne souffres pas.

— J'ai du mal à te croire. Pourquoi ne m'as-tu pas mis en garde ?

— Parce que j'ignorais tes sentiments. Tu traites l'amour comme un jeu, alors comment voulais-tu que je te prenne au sérieux ? Si j'avais compris que tu ne jouais pas la comédie, je t'aurais prévenu que je ne pourrais jamais t'aimer. Pas comme tu le souhaites, en tout cas.

Gino eut un geste de défaite.

— Quand je pense que je suis revenu ici pour demander conseil à Rinaldo à ton sujet ! Il y a de quoi rire ! Jamais je n'aurais cru trouver Alex dans ton lit.

— Je regrette profondément ce qui est arrivé, mais Alex et moi allons nous marier. Je ne te l'ai pas volée. Elle avait le choix.

Déjà blême, le visage de Gino devint couleur de cendres.

— Allez au diable, tous les deux !

Sur cette imprécation pleine de violence, il tourna les talons.

Alex s'élança pour le rattraper, mais Rinaldo la retint par le bras.

— Ne fais pas ça. Il nous pardonnera quand il sera calmé, mais, pour l'instant, il a besoin d'être seul.

Alex hocha la tête misérablement et se laissa entraîner vers l'escalier. Une fois en haut, ils se dévisagèrent sans rien dire puis, d'un accord tacite, se dirigèrent chacun vers leur chambre.

174

Le lendemain, au petit déjeuner, Alex ressentit encore plus durement l'absence de Gino. Son sourire, ses facéties, sa gentillesse égayaient son existence à Belluna. En être privée brusquement lui serrait le cœur. Car elle aimait Gino comme on aime un frère. De ce point de vue, le fossé qui les séparait était infranchissable.

En sortant sur la terrasse, son regard se posa sur la chaise qu'il occupait d'habitude. La veste qu'il portait la veille était toujours là, négligemment jetée sur le dossier. Elle l'effleura en songeant à sa joie quand il s'était préparé pour la soirée, à la bague qu'il avait glissée dans sa poche. Il était jeune et plein d'espoir alors, certain d'être aimé un jour et, en retour, elle lui avait brisé le cœur.

Un léger bruit se fit entendre sur le dallage. La bague venait de tomber d'une poche. C'en fut trop. Elle se laissa tomber sur une chaise et enfouit la tête dans ses mains.

Elle entendit Rinaldo approcher et sentit sa paume familière se poser doucement sur son épaule.

— Il me manque aussi.

Ils s'assirent sans parler pendant un moment, puis Rinaldo déclara :

— Gino est parti. Sa voiture n'est plus là et il a emporté une partie de ses vêtements.

— Il reviendra, j'en suis sûre.

— Sans doute.

Mais au regard vide de Rinaldo, Alex devina qu'il n'y croyait pas davantage qu'elle.

— Que lui ai-je fait ? s'exclama-t-il.

— Que lui avons-nous fait ?

— Cette nuit, j'ai cru parler à un vieillard. Nous ne retrouverons jamais le Gino insouciant d'avant.

175

La mort dans l'âme, Alex se força à prononcer les paroles qui la terrifiaient.

— Si je partais, peut-être que…

— Il n'en est pas question. Je ne peux pas vivre sans toi. Je ne te laisserai jamais partir.

— Je n'en ai pas plus envie que toi, mais…

— Il n'y a pas de mais qui tienne. Si tu partais, cela ferait le malheur de trois personnes. D'ailleurs, ton départ ne résoudrait rien. Gino et moi ne pouvons revenir à l'époque qui précédait ton arrivée. Et quand bien même ce serait possible, je m'y refuserais. Jamais je ne pourrais retourner à ce simulacre d'existence que je menais.

— Tu me rassures. J'avais tellement peur que tu acceptes !

— C'est mal me connaître. Mon frère se réconciliera avec moi quand il rencontrera une autre femme.

Il lui saisit passionnément le visage entre ses mains.

— Je lui ai annoncé notre mariage, mais j'ai oublié de te demander ton avis.

— C'est inutile, tu le sais bien. Mon plus cher désir est de vivre ici avec toi.

Le mariage fut fixé à trois semaines de là, dans l'église du village.

Les cadeaux affluèrent, mais aucun ne les combla comme l'auraient fait des nouvelles de Gino.

En rentrant de Florence, quelques jours avant le grand jour, ils le trouvèrent devant la maison, chargeant des bagages dans le coffre de sa voiture.

Son visage d'ordinaire si souriant arborait une expression de tristesse infinie lorsqu'il les aborda.

— Je suis venu chercher le reste de mes affaires, mais j'ai voulu vous attendre pour vous dire au revoir.

— Tu pars pour de bon ? s'écria Rinaldo. Mais, tu es ici chez toi.

Gino esquissa un sourire sans joie.

— Que suggères-tu ? Que nous vivions tous les trois ensemble ? C'est impossible, tu le sais bien.

Gino avait raison, aussi un profond silence accueillit-il cette déclaration.

— Où étais-tu ? demanda Rinaldo.

— Je me suis installé chez Bruno, le temps de m'organiser. J'envisage de partir pour l'étranger.

— Mais tu es propriétaire de Belluna.

— Il faudra que nous trouvions un arrangement à ce sujet.

— Nous avons le temps. Reste ici jusqu'au mariage, au moins !

— Il n'en est pas question.

Le ton était sans réplique.

— Mais tu viendras ?

— Je n'en sais rien. Ne comptez pas sur moi.

— Avant que tu partes, j'ai quelque chose à te dire au sujet de papa. Je me suis enfin rappelé ce qu'il voulait me dire à l'hôpital. Ce soir, enfin cette nuit où tu es venu dans ma chambre...

Gêné, Rinaldo s'interrompit.

— Continue, dit Gino.

— Tout m'est revenu dans mon sommeil. Il a essayé de me prévenir pour l'hypothèque. Il n'y est pas parvenu, mais il a tenté de le faire. Il ne voulait pas que nous découvrions l'affaire comme ça.

Gino hocha lentement la tête.

— Merci. Cela m'ôte un grand poids.

L'espace d'un instant, les deux frères retrouvèrent leur fraternité perdue puis Gino déclara :

— Il faut que j'y aille, mais avant, je souhaiterais parler à Alex en tête à tête si elle est d'accord.

— Bien sûr.

Rinaldo acquiesça sans rien dire et rentra dans la maison.

Une fois seul avec la jeune femme, Gino se passa la main sur les yeux.

— J'avais préparé tout un discours, mais j'ai oublié.

— Pardonne-moi, Gino !

— Je n'ai rien à te pardonner. Tu avais le droit de choisir Rinaldo. Tu ne sauras jamais combien je t'aime parce que je n'ai plus le droit de te le dire, mais c'était comme un miracle.

— Tu ressentiras la même chose quand tu rencontreras la femme qui t'est destinée.

Il eut une moue sceptique.

— J'en doute, mais merci.

— Merci pour quoi ?

— Pour tout.

Elle tendit la main vers lui, mais il s'écarta, lui adressant un sourire qui déchira le cœur d'Alex.

— Je n'ai rien voulu voir alors que la vérité sautait aux yeux. Le soir où j'ai constaté que tu ramenais toujours la conversation sur Rinaldo en est une preuve. Je n'en ai pas tiré la conclusion qui s'imposait. Je suis le seul à blâmer.

— Reste, Gino. Ne pars pas comme ça !

— Si, il le faut.

— Viens chercher la bague, au moins. Tu l'as oubliée.

— Fais-le pour moi, s'il te plaît. Je t'attends.

Avant de rentrer à l'intérieur, Alex jeta un coup d'œil par-dessus son épaule. Gino attendait, près de la voiture, les yeux rivés sur elle.

En haut, elle tomba sur Rinaldo et lui expliqua ce qu'elle venait prendre. Il la suivit dans sa chambre pendant qu'elle cherchait la bague.

— Quand je la lui donnerai peut-être que…

Le bruit d'un moteur empêcha Alex d'achever sa phrase.

— Oh non !

Ils se précipitèrent vers la fenêtre et aperçurent la voiture de Gino qui s'éloignait en trombe.

Alex tenta de se retenir puis ce fut plus fort qu'elle. Elle se blottit contre l'épaule de Rinaldo et pleura à chaudes larmes.

Compte tenu des circonstances, le mariage fut à la fois triste et heureux. Si Gino avait été là, Alex et Rinaldo se seraient chamaillés pour savoir s'il mènerait la jeune femme à l'autel ou s'il serait le témoin du marié.

Au bout du compte, ce fut Isidororo qui la mena à l'autel et le témoin de Rinaldo fut son régisseur.

Dès qu'ils se tinrent devant l'autel, cependant, leur inquiétude s'évanouit. Le moment était enfin venu pour Alex de s'engager pour la vie auprès de celui qu'elle aimait. Un coup d'œil au visage à la fois grave et radieux de Rinaldo lui suffit pour deviner qu'il éprouvait la même chose.

La cérémonie venait de commencer lorsqu'un murmure parcourut l'assistance. Discrètement, Alex jeta un coup d'œil par-dessus son épaule et reconnut Gino. Sa silhouette se détachait à contre-jour à l'entrée de la nef. Une grande joie l'envahit. Il était venu, bien sûr ! Malgré sa souffrance, il était trop généreux pour les abandonner ce jour-là.

Lorsque vint l'échange des consentements, Rinaldo s'engagea d'une voix ferme à la prendre pour épouse. Puis ce fut au tour d'Alex. Oubliant Gino, toute son attention se concentra sur eux et ce moment unique où ils se donnaient l'un à l'autre pour la vie.

Après le baiser rituel qu'ils échangèrent sous les yeux émus de l'assistance, elle chuchota :

— Gino est là.

— Je sais, je l'ai vu.

Il n'en fallut pas plus pour que leur félicité soit à son comble. Mais, en descendant la nef, ils eurent beau scruter chaque visage, ils ne virent Gino nulle part.

Durant la réception, tous deux participèrent de bon cœur aux réjouissances, même s'il leur tardait de se retrouver seuls pour commencer vraiment leur nouvelle vie.

Après le départ des invités, ils se dirigèrent vers la maison, main dans la main et tombèrent sur Bruno, le meilleur ami de Gino.

— Bruno ! s'exclama Rinaldo. Tu arrives un peu tard.

— Je suis venu avec Gino, mais il est reparti très vite.

— Je le regrette. J'aimerais qu'il m'explique pourquoi il refuse de toucher l'argent que je lui verse.

— Il ne se sent pas le droit de vivre du revenu de la propriété alors qu'il n'y travaille pas.

Bruno se tourna vers Alex d'un air embarrassé.

— Il s'excuse pour la façon dont il s'est enfui lors de sa dernière visite. Il était bouleversé. En revanche, il souhaite-rait…

— Que je lui rende la bague, acheva Alex. Je vais la cher-cher.

Elle l'avait enfermée dans le coffre-fort de Rinaldo et il ne lui fallut que quelques minutes pour revenir.

Bruno la glissa dans sa poche dont il sortit un feuillet soigneusement plié.

— Gino m'a également donné cette lettre pour vous. Il l'a écrite en quittant l'église et m'a demandé de vous la remettre.

Après son départ, Alex contempla la lettre sans oser l'ouvrir. Dans la cuisine, on entendait Teresa et ses nièces s'affairer.

Rinaldo la guida vers l'escalier.

— Montons la lire dans notre chambre. Nous ne serons pas dérangés.

Lorsque la porte se referma derrière eux, Alex contempla de nouveau la lettre. En lisant l'adresse, une violente émotion lui noua la gorge car Gino avait écrit : « Pour ma sœur et mon frère ».

— Lis-la moi, demanda Rinaldo.

Alex déplia la feuille.

« Je ne me sentais pas capable d'assister à votre mariage, mais, au dernier moment, il a fallu que je vienne, ne serait-ce que pour quelques instants. Pardonnez-moi de n'avoir pu rester davantage.

» J'espère que vous avez déjà oublié les paroles cruelles que je vous ai adressées. J'étais à moitié fou et je ne savais plus ce que je disais.

» Je ne reviendrai pas. Nous ne pouvons pas vivre tous les trois sous le même toit, toutefois soyez sûrs que je n'éprouve ni haine ni colère à votre égard.

» J'ai cru que tu étais la femme de ma vie, Alex, mais ce n'est pas possible. Prends soin de Rinaldo, veille sur lui, il en a besoin, mais, ça, tu le sais déjà.

» Peut-être y a-t-il quelque part une femme qui m'attend, comme tu le disais. Si c'est le cas, j'espère un jour partager avec elle la même joie que la vôtre.

» Que Dieu vous bénisse.

Votre frère, Gino. »

La lettre s'achevait sur une facétie typique de Gino :

« PS : Vous pourriez donner mon prénom à votre premier enfant.

PPS : Si c'est un garçon, bien sûr. »

— C'est tout lui, murmura Alex partagée entre le rire et les larmes.

— En effet, approuva Rinaldo d'une voix enrouée.

Il éteignit la lumière et le paysage baigné de lune s'encadra dans la fenêtre.

— Je me demande où il peut bien être en ce moment, chuchota Alex.

Rinaldo enlaça sa femme passionnément.

— Il est là où l'attend sa destinée. Ne t'inquiète pas pour lui. Il est plus solide que nous le croyions et son heure viendra. Mais, pour l'instant, le temps nous appartient, alors oublions-le et pensons à nous, rien qu'à nous.

Le nouveau visage
de la collection Or

◆

AMOURS D'AUJOURD'HUI

Afin de mieux exprimer sa modernité et de vous séduire encore davantage, votre collection Or a changé de couverture et de nom depuis le 1er mars 1995.

Rassurez-vous, les romans, eux, ne changent pas, et vous pourrez retrouver dans la collection **Amours d'Aujourd'hui** tous vos auteurs préférés.

Comme chaque mois, en effet, vous y attendent des héros d'aujourd'hui, aux prises avec des passions fortes et des situations difficiles...

**COLLECTION
AMOURS D'AUJOURD'HUI :**
Quand l'amour guérit des blessures de la vie...

Chère lectrice,

Vous nous êtes fidèle depuis longtemps?
Vous venez de faire notre connaissance?

C'est pour votre plaisir que nous avons
imaginé un rendez-vous chaque mois
avec vos auteurs préférés, vos
AUTEURS VEDETTE dans les
collections Azur et Horizon.

Les AUTEURS VEDETTE vous
donneront rendez-vous pour de
nouveaux livres vedette.

Pour les reconnaître, cherchez
l'étoile... Elle vous guidera!

Éditions Harlequin

HARLEQUIN

LE FORUM DES LECTEURS ET LECTRICES

CHERS(ES) LECTEURS ET LECTRICES,

VOUS NOUS ETES FIDÈLES DEPUIS LONGTEMPS?

VOUS VENEZ DE FAIRE NOTRE CONNAISSANCE?

SI VOUS AVEZ DES COMMENTAIRES, DES CRITIQUES À
FORMULER, DES SUGGESTIONS À OFFRIR, N'HÉSITEZ
PAS... ÉCRIVEZ-NOUS À:

> LES ENTERPRISES HARLEQUIN LTÉE.
> 498 RUE ODILE
> FABREVILLE, LAVAL, QUÉBEC.
> H7R 5X1

C'EST AVEC VOS PRÉCIEUX COMMENTAIRES QUE NOUS
ALLONS POUVOIR MIEUX VOUS SERVIR.

DE PLUS, SI VOUS DÉSIREZ RECEVOIR UNE OU
PLUSIEURS DE VOS SÉRIES HARLEQUIN PRÉFÉRÉE(S)
À VOTRE DOMICILE, NE TARDEZ PAS À CONTACTER LE
SERVICE D'ABONNEMENT; EN APPELANT AU
(514) 875-4444 (RÉGION DE MONTRÉAL) OU 1-800-667-4444
(EXTÉRIEUR DE MONTRÉAL) OU TÉLÉCOPIEUR
(514) 523-4444 OU COURRIER ELECTRONIQUE:
AQCOURRIER@ABONNEMENT.QC.CA OU EN ÉCRIVANT À:

> ABONNEMENT QUÉBEC
> 525 RUE LOUIS-PASTEUR
> BOUCHERVILLE, QUÉBEC
> J4B 8E7

MERCI, À L'AVANCE, DE VOTRE COOPÉRATION.

BONNE LECTURE.

HARLEQUIN.

VOTRE PASSEPORT POUR LE MONDE DE L'AMOUR.

ROUGE PASSION

De fiévreuses histoires d'amour sensuelles!

De provocantes histoires d'amour passionnées et romantiques qu'on lit d'une seule traite. Aventureuses, parfois humoristiques, et sensuelles, elles mettent en vedette des hommes et des femmes d'aujourd'hui.

**ROUGE PASSION...
trois nouveaux titres
chaque mois.**

GEN-RP-R

COLLECTION
HORIZON

Des histoires d'amour romantiques qui vous mènent au bout du monde!

Découvrez la passion et les vives émotions qu'apportent à la Collection Horizon des auteurs de renommée internationale!

Captivantes, voire irrésistibles, ces histoires d'amour vous iront assurément droit au coeur.

Surveillez nos trois nouveaux titres chaque mois!

GEN-H-R

HARLEQUIN

Lisez Rouge Passion pour rencontrer L'HOMME DU MOIS!

Chaque mois, vous rencontrerez un homme **très sexy** dans la série Rouge Passion.

On peut distinguer les livres L'HOMME DU MOIS parce qu'il y a un très bel homme sur la couverture! Et dedans, vous trouverez des histoires écrites selon le point de vue de l'homme et de la femme.

Les livres L'HOMME DU MOIS sont écrits par les plus célèbres auteurs de Harlequin!

Laissez-vous tenter avec L'HOMME DU MOIS par une histoire d'amour sensuelle et provocante. Une histoire chaque mois disponible en août là où les romans Harlequin sont en vente!

RP-HOM-R

HARLEQUIN

COLLECTION
ROUGE PASSION

- **Des héroïnes émancipées.**
- **Des héros qui savent aimer.**
- **Des situations modernes et réalistes.**
- **Des histoires d'amour sensuelles et provocantes.**

LAISSEZ-VOUS TENTER
par 3 titres irrésistibles
chaque mois.

RP-1-R

L'ASTROLOGIE EN DIRECT
TOUT AU LONG
DE L'ANNÉE.

(France métropolitaine uniquement)

Par téléphone 08.92.68.41.01

0,34 € la minute (Serveur SCESI).

Composé et édité par les
éditions Harlequin
Achevé d'imprimer en mars 2005

BUSSIÈRE
GROUPE CPI

à Saint-Amand-Montrond (Cher)
Dépôt légal : avril 2005
N° d'imprimeur : 50451 — N° d'éditeur : 11194

Imprimé en France